JEUNESSE

Ta voix
dans la nuit

Ta voix dans la nuit

DOMINIQUE DEMERS

QUÉBEC AMÉRIQUE JEUNESSE

329, rue de la Commune O., 3ᵉ étage, Montréal (Québec) H2Y 2E1, Tél. : (514) 499-3000

Données de catalogage avant publication (Canada)
Demers, Dominique
    Ta voix dans la nuit
    (Titan jeunesse ; 48)
    ISBN 2-7644-0122-1
    I. Titre. II. Collection.

PS8557.E468T3   2001   jC843'.54   C2001-941182-0
PS9557.E468T3   2001
PZ23.D45Ta   2001

Les Éditions Québec Amérique bénéficient du programme de
subvention globale du Conseil des Arts du Canada. Elles tiennent
également à remercier la SODEC pour son appui financier.

Nous reconnaissons l'aide financière du gouvernement du
Canada par l'entremise du Programme d'aide au développement
de l'industrie de l'édition (PADIÉ) pour nos activités d'édition.

Diffusion : Prologue inc.
1650, boul. Lionel-Bertrand
Boisbriand (Québec) J7H 1N7 Canada
Téléphone : 1 800 363-2864
Télécopieur : 1 800 361-8088
prologue@prologue.ca

Dépôt légal : 4e trimestre 2001
Bibliothèque nationale du Québec
Bibliothèque nationale du Canada

Révision linguistique : Michèle Marineau
Montage : [PAGEXPRESS] Andréa Joseph

À ma fille Marie,
qui n'est plus une chipie

Remerciements

Ta voix dans la nuit ne serait pas *Ta voix dans la nuit* sans une foule de collaborateurs et d'amis. Merci à : Diane et Karine Desruisseaux, Julie Poulain, Suzanne Gaudreault, Johanne Mathieu et ses élèves de l'école secondaire Paul-Gérin-Lajoie, France Houle et ses élèves de l'école d'éducation internationale. Harold et Micheline Demers, Marie Demers-Marcil et tous les amis qui m'ont encouragée.

Temps de merde,
automne avancé

Chère Poutine,

C'est décidé ! Je serai Cyrano.
Roxane m'énerve trop. Cette fille-là, je
l'imagine comme ma mère. Maniérée,
pomponnée et perpétuellement pâmée
devant un bel idiot. Pendant ce temps,
Cyrano, lui, mord dans la vie. Il rit, il
rugit, il s'enthousiasme, il s'enrage. Il
provoque tout le monde et il s'en fiche
complètement.

*Moi, c'est moralement que j'ai mes
élégances*, dit-il.

J'adore !

Cote du jour : 65. C'est pas l'enfer, mais on est loin du paradis.

J'ai fêté mes 15 ans hyper sobrement avec ma très chère maman. C'est comme ça quand on change d'école. Je ne pouvais quand même pas coller des affiches sur les murs du collège pour annoncer que Fanny Dubois allait avoir 15 ans le 12 octobre. Prière de lui organiser une fête surprise. Un petit gâteau Vachon ferait parfaitement l'affaire et une poignée d'amis seraient les bienvenus.

J'ai failli le dire à Benoît. J'ai même répété devant le miroir, comme pour mes répliques de théâtre. « En passant, c'est ma fête demain… » « Sais-tu que c'est ma fête demain ? » « Je ne voulais pas trop en parler, tu sais, mais c'est ma fête… » Quand le temps est venu, je n'ai pas osé. Je me sentais comme une quêteuse. Au lieu de tendre la main pour quelques pièces, je mendiais de l'affection, de la tendresse. C'est le genre d'affaire que ferait ma mère. Moi, je tiens trop à ma dignité.

C'est ainsi que, le 12 octobre, Luce Dubois et sa fille ont partagé une pizza à la croûte farcie au fromage – luxe suprême ! – au *Pizza Hut* du coin. J'aurais préféré une pizza livrée à la maison, mais Luce n'a pas voulu. Elle ne rate jamais une occasion de faire le paon en public.

Pour ma fête, maman a mis le paquet... sur son apparence. Une vraie poupée Barbie! Trois couleurs d'ombre à paupières. Une crinière apprivoisée au prix d'une heure de simagrées sous le séchoir. Ongles longs et sanglants. Petit ensemble hyper moulant. Tout ça pour une vulgaire sortie à la pizzeria! La belle Luce a gloussé comme une poule lorsque la serveuse nous a demandé si on était sœurs. Ce qu'on n'inventerait pas pour un bon pourboire!

Papa m'a envoyé un pendentif qui a dû lui coûter la peau des fesses. Ce qu'un homme ne ferait pas pour se faire pardonner! Une pierre d'un bleu inouï accrochée à une chaîne en or véritable. Quatre mots sur la carte : *À ma princesse. Papa.*

Ouin... Enfin... Sans commentaires.

Maryse m'énerve de plus en plus. En septembre, j'étais ravie de la découvrir parmi les mille deux cents visages inconnus. À 11 ans, nous avions fréquenté le même camp de vacances. Deux semaines de fous rires et d'amitié. Maryse était toujours prête à faire des bêtises, mais c'était sans malice. Maintenant, j'en suis moins sûre… C'est elle qui a eu l'idée d'enfermer Guillaume Saint-Onge, un petit *nerd* de 2e secondaire, dans les toilettes des filles. Alexandre et Laurent ont fait le travail, mais le maître d'œuvre, c'était elle. Je n'ai pas voulu connaître les détails de « l'opération », mais je sais que Guillaume a manqué deux jours d'école après l'événement. Que lui ont-ils fait là-dedans ?

Benoît dit que Maryse souffre d'insécurité : si elle a tant besoin d'exercer son pouvoir, c'est parce qu'elle a peur.

Je veux bien, mais peur de quoi ?! C'est une des plus belles filles de l'école – et l'une des plus *sexy* –, elle a plus d'amis qu'elle n'en veut, ses parents font tout ce qu'elle veut et elle réussit juste assez bien au très sélect Collège international pour continuer d'être admise au programme arts-études sans faire partie des *nerds*.

Maryse déteste Benoît. Elle me l'avait déjà avoué au cours des dernières semaines mais, hier, elle est allée encore plus loin.

Maryse : Ouvre les yeux, Fanny. C'est un rejet ! Une vraie tapette. Un fiffe ! T'avais pas compris ? C'est évident, pourtant…

J'étais furieuse. Comment osait-elle parler de Benoît comme ça ? Comment osait-elle me dicter qui fréquenter ?! Les mots se bousculaient dans ma tête. J'allais lui dire ses quatre vérités lorsqu'elle a tourné les talons, me laissant seule avec ma colère. Maryse Gagnon venait de flairer une proie. Et quelle proie ! Le beau Gabriel Vallée. Un grand blond, champion sportif de tout ce qu'on peut imaginer. Hyper populaire, supposément très bolé et super gentil, mais peu causant. Le genre qui fait sa petite affaire. Il n'a pas de blonde, malgré le troupeau de filles qui lui court après. Attention, Maryse : c'est peut-être une tapette, comme tu dis.

Benoît ne m'en a jamais parlé, mais j'avais quand même deviné qu'il préfère les garçons. Et je m'en fiche éperdument. Benoît est un ange. Si je pouvais me choisir un frère, c'est lui que je prendrais. Avec lui, je me sens toujours bien. Je peux parler de tout ce qui me passionne. Benoît sait écouter. En plus, c'est un grand amateur de théâtre et de cinéma. Il a vu tous les films. Comme moi, il peut réciter de mémoire des tas de répliques. Son rêve, c'est de devenir metteur en scène. Ou réalisateur. Il dit que je serais son actrice fétiche. Benoît croit vraiment que j'ai du talent.

Ah oui! J'ai *chatté* avec Tarzan. Tu sais que je ne suis pas maniaque du *chat*, sauf que, là, c'était un devoir. Hubert, notre prof de français, veut absolument avoir l'air *cool*. Alors, il donne des travaux idiots. Ce soir, il fallait créer une salle de discussion sur le *net* et résumer nos échanges en deux cent cinquante mots. J'ai choisi le cinéma. J'aurais eu plus de succès avec le thème de Mylène, l'espèce d'idiote aux grands yeux glauques qui suit Maryse partout. Son sujet? Cybersexe. Évidemment.

J'ai dû attendre un bon moment avant qu'on vienne me visiter. Et puis, soudain, un gars. Nom de *chat*: Tarzan. Hum… Seize ans. Dit-il… Sur le *net*, on peut raconter n'importe quoi. Pourtant, ce gars-là, je serais portée à le croire. Il a quelque chose de vraiment… spécial. C'est difficile à expliquer. Comme moi, il n'a pas tellement l'habitude de *chatter*. Ce n'est pas un grand amateur de cinéma, mais il a ses films fétiches. *Chariots of Fire*, par exemple. Oscar du meilleur film en 1981. L'histoire de deux étudiants qui s'entraînent à la course à pied. Ça ne semble pas excitant, mais c'est un film terriblement prenant. Je l'ai vu au moins trois fois et je le reverrais volontiers.

Tarzan : Il y a une scène où on a l'impression qu'au lieu de courir ces gars-là volent. C'est comme s'ils ne touchaient même pas le sol. Ça m'inspire…

Je me souvenais de la scène. Il avait raison. Je lui ai refilé un tas de suggestions de films à voir. Chaque fois, il me demandait pourquoi. Alors, je lui décrivais le climat de tension infernal dans *Orange mécanique* ou la prestation époustouflante de Glenn Close dans *Les 101 Dalmatiens*. J'ai des goûts très variés…

Les films préférés de mon copain Tarzan sont ceux du Cirque du Soleil. Il les a tous vus. Des tas de fois. Et moi qui suis tombée endormie au beau milieu d'*Alegria* ! J'ai tapé : Pourquoi ? Réponse : Les numéros de haute voltige sont hallucinants.

Hum… hum… Pas besoin d'être Freud pour diagnostiquer une légère fixation aérienne. Alors, j'ai voulu savoir : En quel oiseau aimerais-tu te réincarner ? Il a mis un peu de temps à répondre : En vautour. J'ai écrit : Ah bon… Très rassurant. Et pourquoi ?

Il me semblait l'entendre rire. La réponse est apparue à l'écran : Pour capturer les filles comme toi. J'ai écrit : Et moi qui imaginais un jeune homme sensible et raffiné...

Long silence. J'ai craint subitement qu'il ne m'ait quittée. Et puis, soudain, ces quelques phrases : Dans la vraie vie, je suis plutôt timide. Si je me retrouvais devant une fille comme toi, je n'oserais peut-être pas l'aborder. Et ce serait vraiment dommage...

Une fille comme toi... Qu'en penses-tu, Poutine ? À mon avis, s'il se trouvait devant une fille comme moi, il passerait tout droit. Qu'il soit timide ou pas.

Bon ! Ça y est. Je m'apitoie. Allez ! Bonne nuit, ma belle.

Ta meilleure,
Fanny

P.-S. : Comme nom de *chat*, j'ai utilisé une lettre : A. Comme dans Anonyme. J'aime bien rester cachée. Protégée par l'anonymat. C'est la meilleure façon de ne décevoir personne, non ?

Chapitre 1

Gabriel serra les mâchoires. Recroquevillé en position de départ, un genou presque collé au sol, il inspira plusieurs fois. Lentement, profondément. Le vent d'automne charriait encore des parfums de feuilles et de pommes. L'herbe était couverte de rosée. Au loin, des nuages bas s'effilochaient au-dessus des champs rasés. Soudain, sa jambe droite se détendit, puis l'autre. Il partit comme un boulet.

Gabriel avala le premier cent mètres avec bonheur et le deuxième presque sans effort. À l'amorce du troisième, près des bouleaux, il ressentit une baisse de tension, le premier signe d'amollissement. Il l'attendait. Alors, il se remémora des phrases, des scènes, et une révolte sourde gronda au plus profond de lui. Presque immédiatement, ses muscles se contractèrent. Le sang giclait furieusement dans ses veines. Une énergie féroce l'animait.

À cet instant même, Gabriel Vallée se sentait capable de repousser toutes les frontières, de défier les lois de la gravité. Un peu plus et il pourrait voler.

* * *

—*Chercher un protecteur puissant, prendre un patron? Non, merci.*

Fanny haussa la voix, toute à la colère et à l'indignation de Cyrano. Au fil des mots, elle se sentait devenir immense, inébranlable.

—*Se changer en bouffon? Non, merci. Calculer, avoir peur, être blême. Préférer faire une visite qu'un poème? Non, merci!*

—Fanny! Dépêche-toi! Ton autobus passe dans dix minutes.

Fanny consulta sa montre. Au secours! Elle referma son exemplaire de *Cyrano de Bergerac* d'un coup sec. Pendant que son pyjama atterrissait derrière le lit, elle enfila un chandail en coton ouaté informe et surdimensionné puis sauta dans son jean en maintenant la taille en place d'une main, le temps d'ajuster la ceinture. L'an dernier, ce jean lui allait parfaitement mais, depuis, Fanny avait fondu. Il était presque deux tailles trop grand. Mille fois déjà, Luce avait pressé sa fille de s'acheter d'autres vêtements. Fanny refusait avec entêtement.

—Je suis bien dans mes vieilles affaires, répondait-elle avec défi. Là, au moins, je me sens encore chez moi...

* * *

Maryse était bien lancée.

—En lisant notre lettre, elle va penser que le prof de bio est pâmé sur elle. Ça va être tordant. Comme si le beau Gilles pouvait tomber amoureux d'une grosse vache comme la prof de maths! Nous, on va s'amuser à l'épier pendant quelques jours. J'ai hâte de voir ça! Je l'imagine déjà lui roulant des yeux doux à la café dans l'attente d'un geste ou d'une déclaration. Après? Paf! On lui envoie une lettre anonyme disant clairement qu'on s'est moqué d'elle. Elle va mourir de honte en découvrant que des élèves ont deviné son petit béguin... et s'en sont amusés. C'est pas beau, ça?

Pas de danger qu'elle se plaigne à la direction : ce serait bien trop humiliant !

Mylène applaudissait déjà, les yeux brillants d'admiration.

—Génial ! dit-elle.

Alexandre et Laurent rigolaient en savourant d'avance leur revanche sur Béatrice Michaud, la prof de maths. Ils la détestaient. Deux fois déjà, elle leur avait collé une retenue pour travaux non faits. Autour du quatuor, une dizaine d'élèves n'osaient trop se prononcer. Le plan était bien pensé, les risques négligeables, mais…

—C'est méchant ! lança Fanny avec emportement. Qu'est-ce qui te prend de vouloir humilier quelqu'un comme ça ?

Maryse pivota pour mieux repérer son opposante. Elle ne parut pas surprise de constater que la remarque venait de Fanny.

—La prof de maths est une grosse conne qui fait chier ses élèves avec des montagnes de devoirs et des retenues à tour de bras. Ça te suffit pas ?

—Non, justement. C'est pas ma prof préférée. Même qu'elle me tape souvent sur les nerfs. Mais ce que tu proposes, c'est cruel. Mets-toi à sa place. Des trucs comme ça, ça peut démolir des gens.

—Ouais... Fanny a raison, ajouta Judith Boisclair, visiblement heureuse de ne pas être la seule à désapprouver le projet de Maryse.

Maryse fulminait. Que Fanny lui tienne tête ne l'étonnait pas tellement. Depuis quelques semaines déjà, elle songeait à se débarrasser de cette tête forte. Une grande gueule, un peu sauvage, vite à capoter pour rien. Belle, mais trop nouille pour s'en apercevoir... et pour exploiter ses atouts ! Jamais maquillée, toujours habillée n'importe comment. Des trucs laids, mal ajustés. Rien pour l'avantager. Comme si elle se fichait de son apparence.

Parce qu'elles avaient été amies le temps d'un été, Maryse avait accepté de laisser entrer cette drôle de fille dans son cercle privilégié d'amis. Mais là, c'était fini. Non seulement Fanny avait-elle eu l'audace de lui tenir tête, mais elle semblait prête à rallier d'autres élèves. Et fort capable de le faire !

Judith poursuivait.

—Mon père m'a déjà raconté qu'à son travail il y a un gars qui a joué un tour du genre à quelqu'un. L'autre a fait une dépression. Congé forcé, médicaments et tout.

—Qui t'a demandé l'heure? l'interrompit Maryse sèchement. J'ai proposé d'écrire une lettre. C'est une blague. Un tour. La grosse Béatrice risque d'avoir l'air ridicule. C'est tout. Tant pis pour elle! Y a pas de tragédie ici. Le cours de théâtre, c'est plus tard. Nous, on s'amuse, c'est tout.

Le vent avait déjà tourné. Maryse dominait de nouveau le groupe. Ouf! Une peur panique l'étreignait chaque fois qu'elle sentait son pouvoir lui fuir entre les doigts. Pour être bien sûre d'avoir tout à fait repris le contrôle, elle s'adressa au groupe.

—Alors, qui est d'accord? Ou plutôt... qui est contre? demanda-t-elle en défiant Fanny.

Fanny sentit un frisson grimper dans son dos. Maryse était dangereuse. Elle le sentait. Jusqu'où pouvait aller cette fille lorsqu'elle détestait quelqu'un? Fanny songea à ce que sa mère lui conseillerait en pareil cas. Luce avait une phrase toute faite... Ah oui! «Se taire et laisser braire.» Éviter les confrontations. Laisser passer l'orage. Au fond, Luce avait peut-être raison. Pourquoi diable devrait-elle toujours se jeter dans la gueule du loup?

Fanny baissa les yeux, prête à capituler. Au même moment, des paroles de Cyrano affluèrent.

Mais je marche sans rien sur moi qui ne reluise,
Empanaché d'indépendance et de franchise...

Son regard croisa celui de Maryse. Fanny eut l'impression d'assister à une mise à mort. Et pourtant, d'autres vers surgissaient.

Je fais, en traversant les groupes et les ronds,
Sonner les vérités comme des éperons...

—Moi! Je suis contre. Totalement contre, s'entendit répondre Fanny.

Au fond d'elle-même, elle tremblait, et pourtant sa voix était ferme et forte. La vie, c'est un peu comme au théâtre, non?

Maryse éclata d'un rire méchant.

—Toi, Fanny? Mais ça ne compte pas! Écoute-moi bien, la petite nouvelle...

Le ton était tranchant. Les mots tombaient comme des lames de couteau.

—T'es *flushée*! Entends-tu? On ne veut plus rien savoir de toi. T'es juste un petit tas de merde.

* * *

Gabriel consulta sa montre. Le premier cours débutait dans trois minutes. Il avait roulé quinze kilomètres en vélo avec un vent de front. Pas étonnant qu'il soit en retard. En fonçant vers sa case, il heurta une drôle de fille. La nouvelle. Que faisait-elle, seule, adossée au mur ?

—Excuse-moi. Euh… Pardon ! marmonna Gabriel en se retournant.

La fille ne broncha pas.

—Je suis désolé…

Deux yeux très très bleus. Presque féroces. Un air buté, sauvage. Une fabuleuse énergie émanait de cette fille. Et pourtant, elle paraissait fragile.

Elle fit un pas. On aurait dit qu'elle flottait dans ses vêtements trop grands. Ses longs cheveux sombres étaient emprisonnés sous un fichu à la manière tsigane, mais des mèches folles bataillaient pour se libérer.

Fanny s'était sentie happée par le regard du jeune homme. Elle secoua la tête, comme pour dissiper un mauvais sort.

—Ça va ! Je suis pas morte, répliqua-t-elle brutalement, la tête haute.

Gabriel resta immobile. D'habitude, qu'il le souhaite ou non, dès qu'il accordait un peu d'attention à une fille, celle-ci semblait émue. Visiblement, il n'avait pas le même effet sur la nouvelle.

Il aurait aimé lui parler. Mais elle avait déjà disparu.

Splendide soleil d'automne,
journée de c_ _

Chère Poutine,

Le beau Cyrano m'a fourrée dans le pétrin. La fille la plus dangereuse de l'école vient de m'élire ennemie numéro un. Maryse… Oui, oui, celle du camp de vacances. Bon… C'est quand même pas SI grave. J'en ai vu d'autres depuis un an ! Il en faut plus pour démolir Fanny Dubois, non ?

À part ça ? Maman a décidé que c'était ce soir le bon soir – quelle perspicacité ! – pour me harceler afin que je me coiffe et me maquille et m'habille

« de manière plus seyante ». C'est pas beau comme expression, ça ? Pauvre Luce ! Disons qu'elle a un peu mal choisi sa journée…

J'ai été dure avec elle. Et, comme toujours, je le regrette. Pour dire toute la vérité, j'ai carrément explosé. Sans doute à cause de Maryse, qui m'était restée comme un poil de porc-épic dans le tube digestif.

Moi : Au fond, tu voudrais que je te ressemble, hein, maman ? Eh bien ! pas question ! J'ai vu ce que ça donne…

Luce : Que veux-tu dire, Fanny ? Explique-toi…

Moi : Laisse faire…

Luce : Non. J'y tiens.

Son petit air pincé qui m'exaspère…

Moi : Tant pis. Tu l'auras voulu.

J'ai quand même hésité. Mais le regard de Luce était vissé sur moi. Trop tard. Et puis, au fond, j'attendais ce moment depuis douze mois, non ? Alors, d'un coup, j'ai craché le morceau : Écoute bien, maman ! On est différentes. Je ne pense pas comme toi. Je ne *veux pas* penser comme toi. Tu t'imagines qu'il suffit d'être attirante pour que ça marche avec un homme. Eh bien ! c'est faux ! Tu te trompes. Regarde ce que ça a donné avec papa ! Et pourtant, tu continues. Tu t'y prends encore de la même façon. Ton René, le nouveau, c'est clairement pas ton âme qui l'excite...

Maman avait les yeux pleins d'eau. Moi et ma grande gueule. Merde ! J'avais honte. Je sympathise avec Luce, pourtant. Il y a un an, son mari – mon père, comme par hasard ! – a abandonné femme, fille, maison, pays pour traverser l'océan en Boeing 747 avec une poupée de dix ans sa cadette. T'avais-je raconté que, depuis, il vit en Provence avec sa belle ?

Maman ne s'y attendait pas du tout, tu sais. Moi non plus, d'ailleurs... Aux yeux de tous, Paul et Luce formaient un couple parfait. Sauf qu'en cachette Roméo trompait Juliette...

J'ai dit : Je ne te blâme pas, maman... Mais moi, si un gars m'aime, ce sera pour ce que j'ai en dedans !

Luce n'a pas répondu. Elle s'est levée et elle est allée s'enfermer dans sa chambre. Sans claquer la porte, sans crier. Ma mère a le malheur silencieux...

Je me suis débarrassée du chandail en coton ouaté rouge – celui que je porte presque toujours parce qu'il garde encore l'odeur de papa – et je l'ai lancé à travers la pièce. Il a atterri dans l'évier. J'aurais dû le jeter aux ordures. Le malheur, c'est que je l'aurais repris le lendemain...

Cote du jour : 50. Coulé ! Et je lui aurais attribué une cote encore plus basse sans l'intervention de mes deux anges gardiens. Benoît a été merveilleux. Après avoir entendu le récit de ma mise au rebut – chic comme expression, non ? – par Maryse Gagnon, il a lancé : Tu sais ce que ça signifie ?

J'ai secoué la tête.

Benoît : Maryse a compris que tu étais dangereuse...

Moi : T'es malade !

Je me sentais surtout seule et diminuée.

Benoît : Oui, madame ! Tu n'as pas peur de dire ce que tu penses, tu oses lui tenir tête et tu peux en convaincre d'autres de penser comme toi. C'est déjà beaucoup !

J'ai admis : Ouais... Peut-être... Si tu le dis.

Ainsi présenté, le rejet était beaucoup moins dur à avaler. Au lieu d'être un tas de merde, je devenais un peu une héroïne.

Benoît a le don de « m'amieuter ».
C'était une expression de ma grand-
mère Florence. Au fond, c'est peut-être
ça, le signe d'un véritable ami. Quelqu'un qui « t'amieute ». Qui te rend
meilleur, ou te fait te sentir mieux.

Avec Tarzan, c'est différent. Je ne
sais pas s'il m'amieute. C'est plus compliqué…

Ce soir, rien ne m'obligeait à *chatter*.
Le prof de français avait avalé du gorille
enragé : on avait une montagne de con-
jugaisons à étudier. En révisant mes
verbes irréguliers au plus-que-parfait, je
pensais à Tarzan. Au bout d'un moment,
j'ai allumé l'ordi et j'ai ouvert une salle.
Même thème qu'hier. En attendant les
visiteurs, j'ai tripoté quelques verbes au
passé simple. Soudain, j'ai levé les yeux
sur l'écran, et il était là. Il m'attendait !

On a repris la discussion comme si
on se connaissait depuis toujours. Je lui
ai confié que je trouve l'ambiance dure à
l'école. Il avait l'air de sympathiser
quand j'ai parlé des petits jeux de pouvoir et de tout ce qu'il faut faire – ou ne
pas faire – pour ne pas avoir l'air trop ci
et juste assez ça. Lui, ce qui l'énerve,
c'est la pression. Il déteste se sentir
poussé par tout le monde. Il m'a aussi

confié qu'il s'entraînait « pour réaliser un rêve ».

Juste pour rire, j'ai demandé : Pour voler ?

Il a répondu : Comment as-tu fait pour deviner ?

Tarzan est mystérieux. J'aime ça.

Il dit que le plus important, dans la vie, c'est d'avoir un rêve. Une passion. Mais qu'après c'est difficile à protéger. Les rêves se font toujours malmener. Il dit qu'il a besoin de son rêve pour se réconcilier avec ce qui l'attend. Je n'ai pas osé le bombarder de questions. Le terrain semble miné. J'ai l'impression que si Tarzan donnait une cote à ses journées, ses chiffres ressembleraient aux miens. Il en arrache, lui aussi…

Ça me faisait du bien de l'écouter, de sentir sa présence, même s'il pouvait être loin. J'avais le cœur en compote en songeant à Luce encore enfermée dans sa chambre. Et la tête bourrée de questions. Sur l'amour, la fidélité, les attirances… J'aurais voulu savoir si mon Tarzan avait une blonde. Mais je ne lui ai pas posé la question. Avec ma grande gueule, j'avais fait assez de dégâts en une journée.

On a quand même parlé d'amour. Je lui ai demandé s'il avait déjà remarqué que dans la vie les histoires d'amour se déroulent plutôt bien mais finissent souvent mal, alors qu'au cinéma elles se déroulent plutôt mal mais finissent presque toujours bien. En y repensant, je ne devais pas être très cohérente... Puis, je ne sais plus trop comment, je me suis souvenue d'un vieux film avec Philippe Noiret, *La vie et rien d'autre*. Je l'avais vu avec papa. Une histoire de guerre, de cadavres, d'amitié et d'amour passionné. Ça finit sur une lettre de Philippe Noiret à la femme qu'il aime. Une lettre dans laquelle il promet de l'attendre. Cent ans...

J'ai résumé tout ça à Tarzan puis j'ai tapé : Ça doit être bon d'aimer et d'être aimé aussi fort.

Il a répondu : Il FAUT qu'aimer ce soit comme ça.

Mon inconnu du *chat* est très différent de moi mais, en même temps, on est sur la même longueur d'ondes. Ce qui est chouette, dans notre relation, c'est qu'on se découvre des atomes crochus sans que l'apparence physique ait la moindre importance. Peut-être que

Tarzan est un *nerd*. Un grand maigre boutonneux ou un petit gros aux joues luisantes. Tant pis ! Je m'en fiche. De toute façon, moi, les Roméo…

Qu'en penses-tu, ma belle Poutine ?

Mille caresses,
Fanny

Chapitre 2

Solange Vallée leva les yeux des indices boursiers de *La Presse* pour offrir un large sourire à son fils. Les actions de BCG acquises le mois précédent avaient presque doublé. C'était une bonne journée.

—Ce soir, nous recevons Germain Dion et sa femme. Tu sais, un des confrères de ton père à la Chambre de commerce... Sa compagnie a remporté trois lauriers d'or l'an dernier. Nous voulons te le présenter. Tu t'entraînes à l'école après les cours comme tous les vendredis?

Gabriel songea qu'en répondant par l'affirmative il ne mentait pas. Il s'entraînait, effectivement. Sauf que l'entraînement en question n'avait rien à voir avec la course à pied ou les lancers de ballon qu'imaginait sa mère.

—Ouais..., marmonna Gabriel en fourrant le reste de son pain grillé dans sa bouche, une bonne façon de limiter la conversation.

—Gab! Tu manges mal et tu t'exprimes mal. Ton père et moi t'avons pourtant enseigné les bonnes manières.

Gabriel se contenta de lever les yeux au ciel. Solange Vallée esquissa un sourire enjôleur.

—Je sais que ça t'embête de te faire reprendre. Mais c'est pour ton bien... Un jour, tu nous remercieras, ton père et moi, d'avoir mis autant d'énergie dans ton éducation.

—Il faut que je parte, sinon je vais être en retard, grommela Gabriel en guise de réponse.

—Je peux te conduire, si tu veux...

« Surtout pas », faillit protester Gabriel. Au lieu de quoi, il répondit gentiment:

—Non, merci. J'ai encore le temps de me rendre en vélo.

Quelques minutes plus tard, il roulait parmi les vergers, les doigts déjà engourdis et le nez glacé. Pendant la nuit, les dernières pommes avaient gelé sur les branches. Gabriel profitait de ces balades matinales pour faire le vide, comme lorsqu'il s'entraînait à la course à pied. Ces oasis dans son quotidien l'aidaient à tenir bon. Sans elles, il avait l'impression qu'il croulerait, écrasé par le poids de sa terrible mission : suivre les traces de son père. Si au moins Solange et Serge avaient pondu plusieurs rejetons ! L'un d'eux, sûrement, aurait développé une passion pour les stratégies de gestion. L'un d'eux, sûrement, aurait été heureux de diriger une armée d'employés et d'administrer un budget de trente-trois millions. Alors, Gabriel aurait pu réaliser ses propres rêves.

Pendant que les pommiers défilaient, il eut une pensée pour la fille du *chat*. **A.** Comme dans anonyme. Pour elle, il aurait choisi une autre lettre. I, par exemple. Comme dans inconnue, intéressante, imprévisible, intense.

Où était-elle en ce moment ? Que faisait-elle en ce moment ?

* * *

En franchissant les grilles du Collège international, Fanny reconnut le serrement habituel. Une torsion désagréable dans la région du ventre. Une bouffée de colère la submergea aussitôt. Pourquoi diable se laissait-elle abattre par les machinations idiotes de Maryse Gagnon et de ses acolytes ? Ne devrait-elle pas être assez forte pour planer au-dessus de tout ça ?

Ce bref accès de révolte aida Fanny à recouvrer son aplomb, mais il ne suffit pas à effacer la question qui l'assaillait désormais tous les matins au moment de franchir les grilles du collège : quelle mauvaise surprise lui réservait-on aujourd'hui ?

Fanny avait déjà pu constater que Maryse Gagnon était encore beaucoup plus sournoise qu'elle ne l'avait imaginé. Cette fille-là carburait à la vengeance et, de jour en jour, Fanny discernait mieux combien ses réserves de méchanceté étaient sidérantes. Maryse employait toute son intelligence, toute sa créativité, pour continuer de régner sans être contestée, tout en multipliant les coups bas. Elle se traçait des frontières de respectabilité qu'elle prenait soin de ne pas dépasser, mais Fanny soupçonnait que, n'eût été sa crainte d'essuyer la désapprobation de certains admirateurs, elle irait encore plus loin dans ses cruautés.

« Je ne lui confierais même pas un pois-son rouge », songea Fanny avec humeur.

Les premiers jours, Maryse s'était satisfaite de petites agressions. Des mots doux comme « ordure », « tas de merde » ou « grosse vache » murmurés juste assez fort lorsqu'elles se croisaient dans les corridors. Puis, les principaux acolytes de Maryse – Mylène, Laurent et Alexandre – avaient joint leur voix au concert de compliments, si bien que Fanny n'en finissait plus d'entendre siffler les insultes.

Maryse s'était aussi occupée de faire savoir à tout le monde que la petite nouvelle s'était fait *flusher*. Elle s'y prenait de manière telle qu'inévitablement on finissait par lui demander pourquoi. Elle prenait alors un malsain plaisir à répondre.

—Il y a quelque chose qui cloche chez cette fille-là, insinuait-elle sournoisement. Elle est vraiment TROP étrange. T'as vu comment elle s'arrange ? Un vrai épouvantail. Et qui elle fréquente ? Il paraît que c'est une lesbienne. Moi, je sais pas… Mais je me méfie…

Puis il y avait eu l'inscription sur sa case. Fanny avait dû apporter une boîte de poudre à récurer à l'école et, pendant toute l'heure du lunch, elle avait frotté la porte pour effacer les cinq lettres formant le mot REJET. Le vandale avait utilisé un marqueur permanent, si bien que, pour faire disparaître l'injure, Fanny avait fini par arracher la peinture. Elle aurait pu effectuer cette tâche en catimini, tôt le matin ou après les cours, mais Fanny préférait garder la tête haute. Elle refusait d'entrer dans le jeu de Maryse. Même si elle n'y réussissait pas vraiment, elle pouvait au moins avoir l'air de planer au-dessus de tout ça.

Pendant l'examen de français, Fanny put découvrir quelle mauvaise surprise lui réservait cette journée. Pour une fois, le thème imposé l'intéressait : le romantisme et les relations sentimentales au dix-neuvième siècle. Hubert Labrie avait livré un bref exposé sur le sujet quelques semaines plus tôt, rien de très enlevé, mais, en préparant son audition pour le rôle de Cyrano, Fanny avait lu le texte d'un critique abordant la pièce d'Edmond Rostand sous cet angle. Et elle avait pris plaisir à réfléchir à ce sujet. Pendant les premières minutes, Fanny écrivit sans arrêt. Soudain, au beau milieu d'un paragraphe, elle découvrit que son stylo était à sec. Au même moment, elle remarqua que ce stylo n'était pas le sien. Le bout était mâchonné, ce qui n'était pas dans ses habitudes. Elle tendit une main vers son étui à crayons, mais ses doigts ne rencontrèrent que le vide. Fanny leva alors les yeux.

Son étui avait disparu.

Elle promena un regard autour de la pièce. Près d'elle, Mylène était extraordinairement concentrée. Beaucoup trop. Fanny garda les yeux rivés sur elle. Au bout d'un moment, Mylène lança un coup d'œil furtif en direction de Fanny. Son regard glissa ensuite dans une autre direction. À l'autre bout de la classe, Laurent tapotait l'étui.

Un simple stylo n'aurait sans doute pas dû prendre autant d'importance. Fanny aurait pu tenter d'en emprunter un à un voisin sans se faire repérer ou carrément se lever et expliquer son problème au prof. Au très sélect Collège international, les consignes étaient parfaitement claires et la marche à suivre extrêmement stricte. D'abord, les élèves ne pouvaient communiquer entre eux durant un examen. De plus, chacun devait « avoir ses outils en main ». Surtout un jour d'examen. C'était SA responsabilité. Tout oubli était sanctionné par des points de démérite. Pour se faire excuser, Fanny aurait dû expliquer le contexte. Avouer qu'elle était rejet. Se poser en victime. En gros, elle avait le choix : couler son examen ou perdre la face. Elle décida de couler l'examen.

Pendant les trente dernières minutes du cours, alors que les autres élèves se creusaient la tête pour trouver quelque chose à écrire sur les relations sentimentales au dix-neuvième siècle, Fanny compta les orifices dans les panneaux du faux plafond. Elle savait maintenant que le panneau juste au-dessus de sa tête présentait cent cinquante-sept perforations. Fanny avait dû s'y reprendre plusieurs fois. Au cœur de sa rage et de son impuissance, les chiffres avaient tendance à valser dans sa tête. Elle voulut s'attaquer à un autre panneau, mais des larmes stupides brouillaient sa vue. Elle n'arrivait même plus à distinguer les sacrés trous.

* * *

Benoît mâchonnait un morceau de caramel mou en attendant Fanny à sa case. Il avait été mis au courant des déboires de son amie à l'examen de français. Mylène et Laurent avaient sans doute pu compter sur quelques complices pour intervertir les stylos et faire disparaître l'étui, mais d'autres témoins auraient payé cher pour qu'ils se fassent pincer. En apercevant Fanny, Benoît avala le reste de son caramel et attaqua une de ses imitations du macho type : yeux gourmands, lèvres tombantes et sourire en coin.

—Salut, bébé! lança-t-il d'une voix rauque en roulant les épaules.

Fanny parvint tout juste à esquisser un semblant de sourire.

—T'es au courant ? s'enquit-elle.

—Ouais. Jean-Mathieu m'a confié qu'il a tenté de te faire passer un stylo en douce, mais une amie de Mylène l'a intercepté. La gang de Maryse est vraiment montée contre toi.

—Penses-tu vraiment ? demanda Fanny, sarcastique. Merci de m'informer. Je n'aurais pas deviné…

Benoît caressa doucement l'épaule de Fanny.

—T'as raison d'être enragée. Ce coup-là, c'est dégueulasse. Mais il me semble que tu aurais pu aller voir le prof.

Tes outils, comme ils disent, tu les avais. Seulement, quelqu'un te les avait piqués. Laurent aurait eu l'air fin si tu l'avais dénoncé! T'imagines le nombre de points de démérite?

—Écoute, Benoît. Quand je serai descendue assez bas pour aller bavasser à un prof, je changerai d'école. Compris?

—Ah oui? Et qui jouera Cyrano?

Cette fois, Fanny eut un vrai sourire.

—O.K. T'as gagné! Je suis prête à attendre la fin des représentations pour changer d'école. Savais-tu que t'es un ange, Benoît? T'avais-je déjà confié que tu m'amieutes?

—C'est dans *Cyrano* cette phrase-là?

Fanny pouffa.

—Non, idiot. Ça vient de ma grand-mère Flo, répondit-elle en déposant un gros baiser bruyant sur la joue de son ami.

Benoît rougit de plaisir et serra Fanny dans ses bras. Il était extrêmement sensible aux démonstrations d'amitié. Mais, presque aussitôt, il se rembrunit.

—Il va falloir que tu te tiennes sur tes gardes, Fanny. La gang de Maryse sait très bien que tu ne peux pas accumuler trop de points de démérite si tu veux participer à la production théâtrale de l'année. Je me demande s'ils n'ont pas un petit plan dans ce sens-là.

Fanny se sentit subitement lasse et découragée. À part Benoît, il n'y avait plus que deux espaces chouettes dans sa vie : le théâtre et le *chat*. Cyrano de Bergerac et Tarzan. Elle avait absolument besoin des deux.

* * *

Gabriel s'était arrêté au beau milieu du corridor. Sa belle épouvantail avait un amoureux ! L'espèce de tigresse, la nouvelle, la fille qu'il avait le plus envie de connaître, venait d'embrasser son petit ami devant lui. Et dire qu'il avait mis deux jours à rassembler assez de courage pour aller lui parler. Il avait même pensé l'inviter à marcher avec lui près de la rivière. Un de ces jours... Gabriel n'était pas du genre à mettre de la pression ou à trop insister.

« Décidément, je suis doué ! » songea-t-il avec amertume.

L'été précédent, il avait rencontré une autre fille qui avait réussi à l'émouvoir. Sabrina... À leur premier rendez-vous, elle lui avait confié que son père travaillait au Sri Lanka et qu'ils vivaient là-bas dix mois par année.

À 16 h 30, comme tous les vendredis, Gabriel frappa trois petits coups à la porte du local d'équipement des clubs sportifs. Thierry Maheux, le meilleur entraîneur du profil sports-études, ouvrit et lui lança un trousseau de clés.

—Je finis d'inspecter l'équipement – il nous manque encore trois ballons de soccer! – et je te rejoins dans quelques minutes.

—Je peux te donner un coup de main, offrit gentiment Gabriel.

—Non, non. Répète plutôt ta routine pour mieux m'épater.

Gabriel s'éloigna lentement. L'entraînement du vendredi était le moment fort de sa semaine mais, cette fois, le cœur n'y était pas. Il avait du mal à chasser de sa tête le souvenir de l'étreinte dont il avait été témoin. C'était comme si, quelque part en lui, un soleil s'était éteint.

Petit jour gris de décembre
Le cœur en bandoulière

Ma belle Poutine,

Si tu savais ce que je donnerais pour
que tu sois là! Ce qui m'arrive est affreux.
Dans quelques heures, je risque de perdre
un de mes deux seuls amis.

C'est ma faute. J'ai fait une gaffe…

Depuis quelques semaines, déjà,
Tarzan insistait pour que je lui révèle
mon identité. Moi, c'est fou, mais je ne
tenais pas vraiment à connaître la
sienne. J'avais peur que ça gâche tout.
J'aime bien notre amitié anonyme. C'est
chouette de pouvoir se concentrer sur

les pensées, les peurs, les rêves et les croyances de l'autre. Sans interférence. Benoît dit que j'ai peur de m'engager, mais il est dans les patates.

Je savais que Tarzan habitait au Québec et qu'il avait 16 ans. C'est tout. Et ça me suffisait.

Tu as sans doute remarqué que je m'exprime au passé…

Alors voilà : Tarzan est persuadé que nous fréquentons la même école. Et j'ai bien peur qu'il ait raison. Encore une fois, c'est Cyrano qui m'a fourrée dans le pétrin. J'avais déjà parlé de la pièce à mon copain du *chat*. Ce soir, il a mentionné qu'on montait cette pièce à son école cette année. Et tout bêtement, sans réfléchir, j'ai tapé : « Ah oui ? À la nôtre aussi ! » Aussitôt, des frissons ont grimpé dans mon dos. J'aurais voulu tout effacer…

Il n'a pas osé révéler le nom de son école. Moi non plus. Je pense qu'au fond on a peur tous les deux… Un peu plus tard, Tarzan m'a expédié ce message par *e-mail* :

Très chère A.,
Je meurs d'envie de vous connaître. Je suis timide, rappelez-vous, mais je me

prêterai à toutes vos volontés. Donnons-nous rendez-vous à l'école. Nous verrons bien si c'est la même. Et si, cette ultime fois, nous ne nous rencontrons pas, je promets de ne jamais plus vous importuner autrement que sur cet écran. Nous serons, à jamais, comme vous le souhaitez, des amis fidèles et anonymes.

J'ai mis du temps à répondre. Mon cœur battait trop vite, trop fort.

Je sentais bien que je ne pourrais me désister. Je sentais aussi qu'il ne se trompait pas. Nous fréquentons sans doute la même école.

Les questions et les suppositions se bousculaient dans ma tête. Et s'il était un grand ami de Maryse ou de Mylène ? Ou d'Alexandre ou de Laurent ? Que savait-il de la petite rejet ? Était-il au courant des horreurs que Maryse répandait à mon sujet ? L'avais-je déjà croisé ?

Pendant toutes ces semaines de *chat* amical, je ne lui ai jamais parlé de Maryse et de sa gang. Je ne voulais pas le mêler à ces saletés. Nous avons discuté d'une foule de choses qui nous tiennent à cœur, mais – était-ce voulu ? – sans jamais vraiment aborder notre vie privée.

Finalement, j'ai tapé :

Très cher ami,

La troupe de théâtre se réunit demain à 16 h 30. Nous lirons des extraits de Cyrano en prévision des auditions qui auront lieu dans deux semaines. En vérifiant ces informations, vous saurez déjà si notre école est bel et bien la même…

Je refuse toujours de vous dévoiler mon nom. À vous de me trouver. Il y aura peu de spectateurs demain. Vous risquez même d'être le seul… Nous serons probablement huit comédiennes à prendre la parole. Saurez-vous me démasquer?

Tu dois te demander, ma belle Poutine, ce qui m'a pris d'inventer ce plan. Disons que c'est ma version d'une opération sauvetage. J'ai peur qu'il m'imagine comme Maryse : le vrai pétard, genre mannequin, pomponnée de la tête aux pieds. Si c'est ça, son fantasme, alors il ira vers elle, et je ne dirai rien. Il pourrait aussi opter pour une des six autres filles, à part Maryse et moi. Là non plus, je ne dirais rien. Il croira peut-être que, finalement, nous ne fréquentons pas la même école. Et notre amitié durera encore un petit bout de temps.

Ce que je crains le plus, c'est qu'il devine qui je suis et qu'il soit déçu. Qu'il me voie, qu'il m'entende, et qu'il passe tout droit. C'est pour ça que j'ai inventé ce petit scénario…

Cote de la journée : 50. Je marche sur une corde raide. Demain, peut-être que j'aurai basculé.

Pense à moi, Poutine !

Ta Fanny

Chapitre 3

Minnie Van de Wall avait réservé une surprise à ses élèves. La lecture d'extraits allait se faire devant un auditoire. Elle avait personnellement invité de nombreux élèves – et tous ses amis enseignants ! – à y assister. Et Minnie étant Minnie, sa proposition avait facilement séduit. Convoqués quinze minutes plus tôt que prévu, les comédiens avaient été aussitôt expédiés dans les coulisses. L'ordre d'apparition et le choix d'extrait seraient tirés au hasard.

—À l'audition, dans deux semaines, vous aurez à vaincre un certain stress, expliqua la jeune prof de théâtre. Et il y aura un auditoire. Profitez de cette soirée pour vous y préparer. Merde à tous !

Fanny avait vu là un signe du destin. Elle ne pourrait identifier Tarzan dans la salle. Peut-être réussiraient-ils à émerger de cette aventure en conservant l'incognito… Alors, son doux ami devrait remplir sa promesse. N'avait-il pas écrit : *Et si, cette ultime fois, nous ne nous rencontrons pas, je promets de ne jamais plus vous importuner autrement que sur cet écran. Nous serons, à jamais, comme vous le souhaitez, des amis fidèles et anonymes.*

Fanny soupira. C'est ce qu'elle souhaitait. Ardemment.

* * *

Benoît prit place parmi les spectateurs. Fanny lui avait tout raconté. Il explora discrètement l'auditoire. Les profs étaient éliminés d'emblée, de même que tous les élèves de sexe féminin. Il restait onze élèves. Lequel était Tarzan ? À son avis, au moins cinq autres élèves pouvaient être écartés. Trop jeunes. Fanny était persuadée que son mystérieux ami avait bel et bien 16 ans. Il ne restait plus que six candidats…

Benoît fréquentait le Collège international depuis la 1re secondaire. Il connaissait tout le monde. Quatre des six gars faisaient déjà partie de la troupe de théâtre. Ils étaient affectés au décor ou à la technique. Il avait grande envie de les disqualifier. Tarzan n'était pas de ceux-là.

Il ne restait plus que deux candidats. Lui-même et Gabriel Vallée.

* * *

Gabriel essuya ses mains moites sur son jean et promena discrètement un regard autour de lui, un peu surpris, malgré tout, de se retrouver dans cette salle. Il ratait son entraînement avec Thierry pour la première fois de l'année.

— Es-tu malade ? s'était inquiété l'entraîneur.

Il savait combien ces sessions étaient précieuses pour Gabriel.

— Non. J'ai… un rendez-vous…, avait répondu Gabriel en rougissant.

Thierry avait éclaté d'un grand rire.

— Tant mieux ! Franchement, Gab, je m'inquiétais un peu pour toi.

Il marqua une pause et contempla affectueusement son jeune prodige.

— Écoute. Ce que tu fais, c'est… extraordinaire. Physiquement, tu es vraiment doué. Tu as tout ce qu'il faut :

la force physique, la souplesse, les nerfs, l'audace. Avec quelque chose de plus, encore. Tu peux faire ce que tu veux. Mais il n'y a pas que ça dans la vie... Et puis, tu sais, on performe toujours mieux quand on est heureux.

Le cœur de Gabriel bondit. On venait d'annoncer la première comédienne : Maryse Gagnon. Il la connaissait. Était-ce ELLE ?

* * *

Fanny se dirigea vers la scène. Minnie Van de Wall venait de l'appeler, mais Fanny aurait pu s'avancer sans attendre son intervention : il ne restait plus qu'elle ! La plupart des élèves s'étaient bien débrouillés. Alexandre avait paru déçu d'avoir à défendre le rôle de De Guiche, un être parfaitement infect. En l'épiant pendant que Sébastien livrait la célèbre tirade de Cyrano sur son nez – *C'est un roc !... c'est un pic !... c'est un cap ! Que dis-je, c'est un cap ?... C'est une péninsule ! –*, Fanny avait compris que, comme elle, Alexandre convoitait le rôle de Cyrano.

Maryse avait réussi à tirer son extrait préféré : la scène du balcon au troisième acte. Elle avait été très convaincante dans ce passage où Roxane encourage son prétendant – Christian, un rôle que reluquait Laurent – à trouver les mots d'amour qui sauraient la combler. En l'écoutant depuis les coulisses, Fanny avait découvert avec effroi que Maryse risquait de décrocher le rôle de Roxane. Quel beau couple elles formeraient sur scène ! Une chimie d'enfer !

Fanny promena un regard sur les spectateurs. Le jeu d'éclairage empêchait tout repérage. Maintenant qu'elle le savait tout près, elle aurait soudain voulu, avant d'attaquer l'extrait, savoir qui était le mystérieux jeune homme qui avait réussi, en peu de temps, à occuper autant d'espace dans sa vie.

—Roxane, acte V, scène V, au bas de la page 340 ! annonça Minnie Van de Wall.

Fanny se figea sur place. La fin ! La scène ultime où les masques tombent, où les véritables identités sont révélées.

N'était-ce pas ce qu'elle vivait maintenant ? Le cœur battant, la gorge sèche, Fanny attaqua :

—*C'était vous.*

Il lui semblait que ces vers avaient été écrits pour elle. Elle n'avait pas à feindre l'émotion. Dans ce passage, tout au moins, elle se glissait naturellement dans la peau de Roxane. Et Fanny comprenait, en récitant ces vers, qu'elle avait bien plus que de l'affection pour son mystérieux ami.

— *Les lettres, c'était vous…*

Minnie donna la réplique. Fanny reçut les mots comme en écho, totalement absorbée par les paroles de Roxane découvrant le vrai visage de son amoureux.

— *Les mots chers et fous, c'était vous… La voix dans la nuit, c'était vous !*

La voix dans la nuit. Oui. C'était bien ça… les mots tapés sur l'écran. Les vers d'Edmond Rostand coulaient de source, alors que Fanny sondait l'obscurité pour tenter de le reconnaître. Lui. Sa voix dans la nuit.

— *L'âme, c'était la vôtre !* lança-t-elle encore.

Déjà, elle avait mal. Déjà, elle pressentait un drame.

* * *

Avant même que Fanny ouvre la bouche, alors qu'elle promenait lentement son regard ardent sur les spectateurs, il avait su que c'était elle. Les autres comédiennes l'avaient déçu. Il avait presque perdu espoir. Et puis, soudain… Elle. La belle épouvantail !

Les vers résonnaient encore dans la tête de Gabriel :

— *La voix dans la nuit, c'était vous !*

Fanny. Il venait seulement de découvrir son nom.

La salle se vidait lentement. Gabriel ne fut pas surpris de découvrir que Maryse Gagnon marchait vers lui.

— Depuis quand t'intéresses-tu au théâtre, Gabriel ? demanda-t-elle, les yeux brillants.

Quelque chose dans son ton semblait insinuer qu'il était peut-être venu pour elle. Gabriel cherchait une façon polie de se défendre lorsque son regard croisa celui de Fanny. Il se sentit rougir violemment. Espèce de grand nono ! se réprimanda-t-il en secret. De toute évidence, il perdait ses moyens devant cette fille.

Fanny avait détourné les yeux. Comme pour l'éviter. Et maintenant, elle se dirigeait d'un pas ferme vers la sortie. Avait-elle deviné que c'était lui ? Ce regard qu'elle venait de lui décocher ! « Si ses yeux étaient des pistolets, je serais raide mort. Fusillé ! » songea Gabriel avec amertume.

Quelle mouche l'avait piquée ? ! Décidément, cette fille était tout sauf prévisible. Il était venu, tel qu'entendu. Pourquoi réagissait-elle ainsi ? À moins qu'elle ne soit déçue que ce soit lui, Gabriel Vallée, la voix dans la nuit.

Mais pourquoi ?

Il prit brusquement congé de Maryse et courut vers Fanny.

* * *

Fanny fonçait vers la sortie. Le pire était arrivé. Gabriel Vallée ! En l'apercevant, une fois les lumières rallumées, elle avait aussitôt deviné que c'était lui. Il n'avait pas d'autre raison d'être là.

Gabriel Vallée ! Le gars avec le plus gros *fan club* de l'école. Elle n'aurait pas pu tomber plus mal. Et, bien sûr, il avait craqué pour la belle Maryse. Il avait immédiatement cru que c'était elle. Il avait immédiatement couru vers elle.

« Fin de l'histoire. *The End* », se répétait Fanny en serrant les dents.

Orage. Tonnerre. Éclairs.
Tremblements de cœur.

Chère Poutine,

Maryse a raison : je suis conne ! Bête, idiote, naïve. Tête molle ! Cervelle de sauterelle ! Le pire – mais heureusement, je m'en suis aperçue à temps – le pire, c'est que j'étais presque en train de tomber amoureuse. Quand j'y pense ! Gabriel Vallée ! Plus mal assortis, tu meurs. LE beau gars par excellence. Et tombeur… Roméo tout craché !

Quand je l'ai vu, ça m'a donné un coup. J'ai tout de suite su que j'avais eu raison de m'inquiéter.

Tout est fini, maintenant. Bye, bye, mon Tarzan.

Je me doutais bien qu'il voudrait que ce soit Maryse. Elle a dû lui dire qu'il n'y avait jamais eu de Tarzan dans sa vie. Alors, en me voyant quitter les lieux, il a enfin compris. C'était moi. Eh oui! Pas de chance, hein? La rejet! Il devait bien être au courant des rumeurs… Pauvre gars! Découvrir que c'était moi, Fanny Dubois, la voix dans sa nuit.

Bon prince, il m'a quand même rattrapée. J'avais envie de lui crever les yeux. Au lieu de ça, je lui ai lancé: T'es content, là? Ça te suffit, maintenant?

Il avait l'air complètement perdu. Tellement que, l'espace de quelques secondes, j'ai pensé que ce n'était peut-être pas lui. Mais, presque aussitôt, il a murmuré ces quelques mots hautement incriminants: C'est toi?… La mystérieuse A…

Il était essoufflé. Et il semblait bouleversé. Gabriel Vallée est encore plus grand que je ne le croyais. Et plus beau. Ce gars-là est vraiment redoutablement beau. On n'y peut rien…

J'ai admis que oui. C'est moi. Désolée…

Puis, je lui ai tourné le dos et je me suis sauvée.

Ce soir, pour la première fois depuis des semaines, je n'ai pas ouvert l'ordi. Benoît dit que je devrais. Il est totalement nul, parfois.

Cote de la journée : certainement sous zéro.

Si toi, au moins, tu étais là…

Fanny

Chapitre 4

Benoît soupira. Quelle tête de mule ! Adossé au réfrigérateur dans la cuisine chez Fanny, il mordit dans un carré au chocolat en cherchant de nouveaux arguments pour convaincre son amie. Minnie acceptait le principe qu'une comédienne puisse interpréter un rôle masculin, mais il savait bien qu'un acteur mâle aurait plus de chance de décrocher le rôle de Cyrano. Pour l'emporter, Fanny devait éblouir.

—Si jamais l'audition ne tourne pas comme tu le souhaites, ma belle, tu devrais accepter un autre rôle. Je n'ai vraiment pas envie de travailler à la mise en scène si tu n'es pas là. Penses-y, Fanny…

—Oublie ça, Benoît ! Les compromis, j'haïs ça. Ça me tuerait de voir

Alexandre ou un autre jouer MON rôle. Cyrano, c'est moi. Je l'ai dans la peau. Je l'aime !

— Ah ah ! Tu l'aimes ! Alors, tu pourrais jouer Roxane…

— Jouer les belles ? Non, merci. C'est pas pour moi.

Benoît insista.

— Relis la pièce, Fanny Dubois ! Roxane n'est pas une idiote. Et puis, elle évolue. C'est ce qui la rend intéressante ! Bon… d'accord, au début, elle tombe amoureuse d'un triple con. Mais, au contact de Cyrano, elle change, elle découvre peu à peu la puissance des vrais sentiments. À la fin, elle est totalement éprise de lui. Elle est heureuse d'apprendre que c'est lui, la voix dans la nuit.

— Laisse tomber, trancha Fanny avec humeur. Si je veux le rôle de Cyrano, j'ai juste à le mériter. Il faut que je sois renversante. Allez, aide-moi à répéter. Acte I, scène IV…

— *Je vous ordonne de vous taire ! Et j'adresse un défi collectif au parterre !*

* * *

—Attaquer ouvertement, c'est pas bon. Elle risque trop de faire pitié. Quand Laurent et Mylène lui ont fait le coup pendant l'examen de français, ils se sont mis des élèves à dos. J'aimerais mieux qu'elle creuse elle-même sa tombe. Laisse-moi réfléchir. Il reste encore cinq jours avant les auditions.

—Je te fais confiance. Ensemble, on va faire un malheur sur scène…

Alexandre s'approcha de Maryse. Ils avaient commencé à flirter en répétant les rôles de Cyrano et de Roxane. Maryse s'était prêtée au jeu. Le laisserait-elle aller plus loin? Alexandre entoura doucement la taille de Maryse et l'attira vers lui. Lorsqu'il pressa ses lèvres sur les siennes, elle ouvrit la bouche et s'abandonna au baiser. Il la sentit même frissonner contre lui et en fut troublé.

Alexandre Duhamel ne pouvait deviner que, dans la tête de sa dulcinée, la scène était fort différene. En fermant les yeux, Maryse avait imaginé que Gabriel Vallée penchait son visage vers le sien et l'embrassait.

Enfin!

* * *

Gabriel craignait d'exploser.

—C'est une sacrée faveur que te fait Germain Dion ! poursuivait Serge Vallée d'un ton qui n'admettait pas de réplique. Des diplômés d'université seraient ravis d'avoir cette chance. Un mois de stage dans une des meilleures firmes ! Avec ça, mon grand, tu auras la meilleure feuille de route imaginable à ton âge.

Les mots déboulaient dans la tête de Gabriel. « Je m'en contrefiche. La vie, c'est pas une feuille de route. Cet été, j'ai envie de faire quelque chose qui me passionne, quelque chose que, MOI, je trouve important. »

Tant de phrases lui brûlaient les lèvres. Et pourtant, il ne disait rien. Il avait capitulé des années plus tôt. Il n'avait plus la force de combattre. C'était devenu trop éprouvant, trop douloureux. Chaque fois qu'il n'était pas d'accord avec ses parents, l'orage éclatait. Chaque fois qu'il osait faire valoir d'autres idées, chaque fois qu'il persistait à voir le monde autrement, c'était la fin du monde. Avec le temps, il avait appris à renoncer. À serrer les mâchoires, à ravaler sa colère, à étouffer les mots dans sa gorge.

—J'ai parlé à Germain de tes notes et de ton dossier général, poursuivit

Serge Vallée. Sais-tu qu'il a fait ses études supérieures à Harvard? Il est très sensible au fait que tu excelles aussi bien dans les sports que dans tes études. Je lui ai mentionné que tu décrocherais sûrement la bourse sports-études du Collège international. Ça l'a impressionné…

—Si je l'ai pas, tu vas avoir l'air fin! objecta Gabriel.

—Comment ça, si tu l'as pas? Voyons donc! Qui d'autre pourrait l'avoir? répliqua Serge Vallée, déjà furieux à la simple perspective que son fils unique puisse ne pas être le meilleur.

Gabriel se concentra sur le tunnel qu'il venait de creuser sous la purée de pommes de terre dans son assiette. Lorsqu'il était petit, il aménageait des passages secrets, comme ça, pour y cacher ses petits pois. Aujourd'hui encore, il détestait les petits pois. Mais Solange avait cessé d'en mettre dans son assiette. C'était un gain. Une minuscule victoire.

Mais, à part ces rares petits triomphes, rien n'avait changé. Ses parents continuaient de gouverner sa vie comme s'ils en étaient les capitaines. Gabriel se rappela soudain un vieux fantasme de son enfance. En de pareils moments, il rêvait d'utiliser sa fourchette pour catapulter tous les petits pois de son assiette au visage de son père. Pfffiit ! Pfffiit ! Pfffiit !

—Qu'est-ce qui te fait rire ? demanda Serge Vallée, surpris.

Gabriel leva les yeux vers son père. Il ressentait soudain une immense lassitude.

* * *

Fanny revoyait la scène dans sa tête. Ils s'étaient simplement croisés dans le corridor menant à la bibliothèque. En l'apercevant, de loin, elle avait immédiatement décidé de l'ignorer. Elle fixerait le plafond ou le bout de ses souliers. Mais, à la dernière minute, elle avait flanché. Son regard avait glissé vers lui.

—Bonjour, Fanny…

Le ton était amical. Sans ironie. Simplement… gentil.

Et puis, soudain, il avait souri. En gardant les yeux rivés sur elle. Comme si elle, Fanny Dubois, avait le pouvoir de déclencher pareil enchantement. Fanny avait eu l'impression que son cœur oubliait de battre, ses poumons de pomper l'oxygène, son sang de circuler dans ses veines.

Gabriel Vallée avait un sourire extra-ordinaire.

Fanny fit un pas vers l'ordinateur installé sur son petit bureau. Elle ne l'avait pas rallumé depuis sa rencontre avec Tarzan. Au moment d'appuyer sur le bouton de mise en marche, elle se ravisa, recula. Et, tout à coup, elle explosa:

— Bon! Ça suffit. Au moins, je serai fixée, lança-t-elle à haute voix en allumant.

L'icône clignotait. Elle avait un message… Non. DES messages.

Chère A.,

Quelle gaffe ai-je commise? Je ne comprends pas.

Je ne te demande pas de me trouver de ton goût… J'aurais simplement voulu qu'on continue à bavarder. Côte à côte ou sur l'écran. C'est toi qui disais craindre que ce rendez-vous ne détruise quelque chose de précieux. C'est presque réussi…

Peut-être qu'au fond, pour toi, c'est rien… Mais moi, cette amitié, j'y tenais beaucoup. J'y tiens encore…

Rassure-moi. Explique-moi. Accepte un nouveau rendez-vous.

Je redeviendrai Tarzan s'il le faut.

Le grand blond qui t'a fait fuir

Chère Fanny,

Depuis deux jours, je te cherche partout à l'école. Sans succès. Nos horaires semblent bien peu compatibles.

Fais-moi signe. Dans les corridors ou sur cet écran.

Tu peux aussi me laisser un message à ma case. Numéro 1717. Dans la section sports-études. Évidemment…

Est-ce que c'est ÇA qui t'embête ? Tu aurais préféré un copain plus… artiste ?

Je le suis quand même un peu. À ma manière…

Gabriel-Tarzan

Chère inconnue,

Ceci est mon dernier message. Demain, vendredi, je serai à l'ancien gymnase (l'espèce de hangar derrière le collège) jusqu'à six heures environ. Viens…

Gabriel

* * *

Il était déjà 17 h 30 quand Fanny s'approcha du hangar derrière l'école. Elle n'avait pas réussi à se libérer avant.

À la dernière minute, Minnie Van de Wall avait convoqué tous les élèves de la troupe de théâtre. Quelqu'un avait proposé une nouvelle façon d'attribuer les rôles, et Minnie voulait sonder l'opinion de tous avant les auditions.

Fanny avait accepté sans se méfier. Elle avait surtout hâte de rejoindre Gabriel. Et puis, l'idée n'était pas bête, au fond. Tous les élèves participeraient à l'attribution des rôles en votant. Minnie concédait que l'exercice affinerait leurs talents critiques. Fanny se doutait bien que Maryse et Alexandre ne lui attribueraient pas nécessairement une note équitable. Mais qu'est-ce que ça changerait ? Ils seraient dix-huit en tout à voter. Et la note de Minnie comptait quand même pour cinquante pour cent.

En poussant la porte du hangar, Fanny eut l'impression de pénétrer dans un autre monde. La musique, d'abord. Un concert de violons et d'instruments à vent, une musique envoûtante qui rappelait à Fanny les grands airs qu'affectionnait sa grand-mère Florence. Fanny mit quelque temps à s'habituer à la semi-obscurité. Les murs de l'immense salle au plafond très haut étaient troués par d'étroites fenêtres qui ne laissaient passer qu'une lumière blafarde. Au bout d'un moment, elle reconnut l'entraîneur adossé à un mur. Thierry Maheux. Ancien gymnaste, médaillé d'or aux Jeux du Commonwealth. Quel que soit leur profil d'études, tous les élèves le connaissaient de réputation.

Maheux adressa un signe amical à Fanny. C'était donc elle. Gabriel avait mentionné qu'il y aurait peut-être une visiteuse. Tant mieux ! L'entraîneur invita la jeune fille à le rejoindre tout en l'exhortant à ne pas faire de bruit.

Fanny avait beau scruter la pénombre, elle ne voyait pas Gabriel. Elle distingua plusieurs poutres disposées à environ un mètre du sol. Au bout d'un moment, Fanny vit aussi de longues cordes tombant du plafond. On aurait dit des lianes…

Aussitôt, elle eut un pressentiment et leva la tête, cherchant maintenant à mi-hauteur. Thierry sourit en devinant qu'elle avait compris. Contrebasse, violon… Aux premières mesures de violoncelle, Gabriel s'élança dans le vide. Fanny étouffa un cri. Il lui semblait que son cœur s'était décroché.

Gabriel fonçait en piqué, bras déployés, tel un grand oiseau déchirant l'espace. Soudain, ses mains saisirent une corde. Son corps s'entortilla autour et il amorça un étrange ballet aérien en se balançant avec de longs mouvements souples, qui, au rythme de la musique, se firent de plus en plus énergiques. On aurait dit une branche fouettant un ciel de tempête. Et soudain, sur une note plus haute, il plongea de nouveau dans le vide.

Fanny le cherchait encore dans les airs au moment où il atterrit, pieds joints, sur une poutre, qui fléchit sous son poids et, à la manière d'un tremplin, le renvoya dans l'espace. Son corps décrivit alors une succession de culbutes à une vitesse effarante, puis il rebondit sur la poutre pour s'envoler de nouveau.

Thierry surveillait la réaction de Fanny.

— Qu'en penses-tu ?

Fanny leva vers lui un regard chaviré. Très fier de son jeune prodige, Thierry n'avait pas imaginé que Fanny puisse avoir peur. « Elle l'aime ! » songea l'entraîneur lorsque Fanny parvint enfin à esquisser un sourire.

— C'est… extraordinaire. Et beau ! Oui. C'est ça. C'est surtout beau…

Thierry était du même avis que Fanny. La performance de Gabriel dépassait l'exploit physique. Le jeune homme parvenait à faire oublier l'effort en atteignant une sorte d'état de grâce où tous les gestes s'enchaînaient, comme par miracle, avec un semblant de facilité inouï. Thierry Maheux savait combien ce talent était rare.

Gabriel s'approcha, le corps ruisselant, le torse encore agité par les battements fous de son cœur, le visage resplendissant.

—J'adore ça…, dit-il seulement, comme pour s'excuser.

Thierry Maheux éclata d'un grand rire.

—Bravo, le grand! C'est quasiment parfait. Il va falloir compliquer la routine pour te garder bien alerte. Qu'en dites-vous, mademoiselle?

Fanny se contenta de hocher la tête, totalement subjuguée par ce grand blond à qui elle pardonnait presque de préférer Maryse Gagnon.

Il pleut, je crois…
Mais j'ai du soleil plein le
ventre !

Chère Poutine,

Benoît dit que je suis amoureuse.
C'est parfaitement idiot ! Totalement
insensé. Il est complètement nul, parfois.

Gabriel et moi avons décidé de correspondre par *e-mail* tous les jours. Pour
garder le contact, comme avant. Il m'invite aussi à marcher avec lui au bord du
Richelieu tous les jeudis, si je peux. Ça
me plaît comme proposition. C'est le
seul jour où nous sommes libres en même

temps. Il a une pratique ou un match quatre soirs sur cinq !

Cote du jour : 85. Parce que je suis gâtée en amitié. Benoît m'a enfin parlé ouvertement de ses préférences amoureuses. En toute simplicité. Sa confiance me touche. Tu sais ce qu'il a dit ? Le plus dur, pour lui, ce n'est pas d'être différent, c'est d'imaginer la réaction de ceux qu'il aime. Ses parents surtout. Pauvre Benoît.

Ah oui ! J'oubliais… Maryse a failli faire une attaque d'apoplexie lorsqu'elle a vu Gabriel à côté de moi, devant ma case. À bien y penser, je révise ma cote de la journée : cent vingt-douze !

Je t'adore toujours, ma belle Poutine d'amour.

Ta Fanny

P.-S. : Papa m'invite à passer Noël dans les Alpes. Qu'en penses-tu ? Ouais, t'as raison… Avec l'autre, c'est pas du tout évident.

Chapitre 5

—T'es un ange, mon beau papa d'amour! s'écria Maryse en brandissant la télécopie expédiée par l'agence.

Depuis des jours, elle attendait cette nouvelle avec impatience. Tout était enfin confirmé. Son père avait fait pression sur une copine afin de décrocher des auditions pour divers rôles dans une nouvelle série télévisée. Et maintenant, l'affaire était dans le sac. Ouf! Il était drôlement temps. Maryse avait déjà approché plusieurs élèves. Le calcul était risqué, mais il fallait les attirer, les faire rêver.

Dix auditions à distribuer. Une mine d'or! Dix jeunes de son choix pourraient tenter leur chance et, peut-être, décrocher un vrai rôle payant dans une nouvelle série. Maryse décida d'inclure Judith dans sa liste. C'était une fille un peu compliquée à manipuler, mais quel soulagement ce serait de l'avoir dans son camp !

—Penses-tu qu'ils ont des chances d'obtenir un rôle ? demanda Maryse.

Elle-même avait déjà passé – non, subi ! – une vingtaine d'auditions sans jamais rien décrocher. Depuis deux ans, elle n'avait même plus envie d'essayer. Les agents pouvaient faire pression pour obtenir des auditions, mais ils avaient peu de pouvoir au moment de l'attribution des rôles.

—S'ils ont des chances ? Aucune idée. Mais déjà... Tu sais combien de jeunes vendraient leur âme pour obtenir un tel rendez-vous ?

—Je sais, oui ! Et je l'apprécie vraiment. Comment veux-tu que je remercie ta copine ?

—Je m'en occupe, la puce.

« Ouais, je m'en doute ! » songea Maryse.

Elle s'empara du téléphone, composa un numéro.

—Salut, Sébastien. C'est Maryse. Ça y est. Comme j'avais dit ! Tu passes l'audition samedi prochain... Oui, vous serez dix de l'école. J'ai essayé de caser tous les élèves de la troupe, mais c'était impossible. Dix auditions, c'est déjà un miracle. On ne sait jamais qui sera choisi, mais ça permet d'accumuler de l'expérience et de se faire connaître... Bon, tant mieux. Ah oui... Pour les auditions de la troupe, je sais que Fanny Dubois convoite le rôle de Cyrano...

* * *

Maryse s'inquiétait. Alexandre s'était bien débrouillé à l'audition de la troupe, mais Fanny avait été réellement étonnante. À la voir, à l'entendre, on oubliait l'adolescente efflanquée. Cyrano, c'était elle. Si c'était à refaire, Maryse serait moins discrète dans ses « recommandations » à ses dix « protégés ». Elle regrettait aussi d'avoir invité Judith Boisclair à l'audition pour la série télévisée. L'ingrate ne s'était pas montrée réceptive aux réflexions de Maryse quant à la distribution de *Cyrano de Bergerac*.

—Il ne faut pas seulement considérer les acteurs individuellement, suggérait subtilement Maryse. Une certaine... vision d'ensemble de la distribution est essentielle. Par exemple, Cyrano et Roxane doivent former un couple convaincant. Non ?

Maryse avait ainsi planté sa volonté dans le cœur de chacun de ses protégés. Elle ne leur dictait rien, mais elle leur fournissait une raison parfaite pour favoriser le couple Alexandre-Maryse sans trop se sentir coupables. Elle leur offrait une occasion unique de lui témoigner une certaine gratitude. Pour bien profiter des retombées, Maryse avait laissé entendre que les jeunes choisis pour jouer dans la série ne seraient pas avisés avant quelques semaines. Ses dix protégés étaient sur le qui-vive. En vérité, si l'un d'eux avait été retenu, il l'aurait déjà su.

Minnie Van de Wall ouvrit la porte. Tous les regards se tournèrent vers elle. La jeune enseignante semblait accablée. Benoît comprit immédiatement. Il avait prévu un tel résultat. Il prit affectueusement la main de Fanny dans la sienne. Elle se retourna et lui adressa un sourire confiant. Au même moment, Alexandre fit un clin d'œil à Maryse.

Judith n'attendit pas le verdict. Elle se leva et quitta la pièce. « J'aurais dû parler à Minnie. Dénoncer Maryse. Son jeu était limpide. Elle s'est acheté des votes. C'est injuste. Pauvre Fanny ! » songeait-elle.

Deux jours avant Noël
Fuck Noël !

Chère Poutine,

C'est la merde.
C'était la merde.
Ce fut la merde.
Ce sera la merde.
Je ne te souhaite pas bonne nuit.
Reste avec moi. Je ne dormirai pas.

Fanny

Après avoir survécu à Noël
Et autres horreurs

Chère Poutine,

Parfois, je me demande si le pire c'est
de m'être fait voler le rôle de Cyrano.
Non. Le pire, c'est l'injustice, le mépris.
Le pire, c'est de se sentir rejetée, détes-
tée. J'aimerais pouvoir crier haut et fort,
comme mon héros : *Déplaire est mon plaisir, j'aime qu'on me haïsse.* Mais c'est
faux. Archifaux.

Il fallait que les autres élèves me
détestent pour préférer Alexandre. La
meilleure, c'était moi. Je le sais.
Alexandre a fait du mieux qu'il pouvait

mais, comme dirait Cyrano, *c'est un acteur déplorable, qui gueule, et qui soulève avec des han! de porteur d'eau, le vers qu'il faut laisser s'envoler!*

Quand Minnie Van de Wall a annoncé les résultats, j'ai senti un volcan éclater en moi. J'avais le cœur débordant de rage et, pourtant, je ne disais rien. Aucun mot, aucun geste n'était assez puissant pour traduire mes sentiments. Des répliques de Cyrano se bousculaient dans ma tête : *Mais je vais être frénétique et fulminant! Il me faut une armée entière à déconfire! J'ai dix cœurs; j'ai vingt bras...*

Je restais là, immobile et silencieuse, pendant qu'un geyser explosait en moi.

Benoît s'est levé. Il a dit : Je démissionne. Je n'ai plus envie de travailler à la mise en scène de cette production.

Minnie l'a regardé. Elle semblait heureuse de cette marque de solidarité envers moi, mais, en même temps... totalement découragée.

J'ai fixé mon ami droit dans les yeux et je l'ai averti : Si tu démissionnes, Benoît Lemay, je ne te parle plus jamais de ma vie.

Ils me regardaient tous comme si j'étais parfaitement cinglée. Mais Benoît a compris le message. Il s'est rappelé à temps que je déteste jouer les victimes. Je n'ai pas besoin qu'on me défende.

Résumons : tout va pour le pire dans le plus horrible des mondes. Je ne jouerai pas dans *Cyrano de Bergerac* et j'ai découvert qu'un tas d'élèves me détestent. En plus, je me suis brouillée avec mon meilleur copain (mais on s'est réconciliés depuis), et l'autre a annulé nos deux premières rencontres. La raison officielle ? Sa mère lui aurait pris des rendez-vous de dernière minute chez le dentiste. Deux jeudis de suite ! Entre nous, ça paraît louche, non ? Au moment même où Fanny Dubois subit le rejet de tous ses amis de théâtre, son nouveau copain se désiste deux fois d'affilée. En plus, il a de très belles dents, Gabriel Vallée. Alors je me demande bien à quoi ça rime, ces histoires-là...

Benoît a suggéré que la mère de Gabriel souffre peut-être d'un complexe d'Œdipe à l'envers. D'habitude, c'est l'enfant qui est amoureux du parent de sexe opposé mais, là, ça se jouerait en sens contraire. C'est fréquent, selon docteur Benoît. Ainsi, Solange Vallée ferait tout pour que Gabriel et moi on ne se rencontre pas. Benoît ne manque pas d'imagination... De toute façon,

Gabriel n'aurait qu'à rassurer sa maman en lui disant la vérité : nous sommes copains, c'est tout.

Cote de la journée ? Cinquante et un ! Je refuse de me laisser aplatir. Je n'accepte pas de faire pitié. Avais-tu oublié que Fanny Dubois a des nerfs d'acier ?

Me crois-tu, Poutine ? Suis-je convaincante ? Dis oui parce que moi, en tout cas, j'ai du mal à y croire…

Fanny-la-brave

P.-S. : Judith Boisclair s'est fait *flusher* par Maryse, elle aussi. Elle doit s'en contreficher. La chanceuse a obtenu un rôle dans une vraie série télévisée qui sera en ondes l'automne prochain. Maryse devait crever de jalousie, alors elle l'a éjectée.

2e P.-S. : J'ai passé Noël avec Luce. Elle a fait cuire une dinde monstrueuse juste pour nous deux. On est prises à manger des restes au moins jusqu'à la Saint-Valentin. Benoît a fait un saut à la maison après la messe de minuit. Il m'a laissé… une Poutine en peluche. Avec de longues moustaches. Moins belle que toi, bien sûr, mais bon… Benoît est un ange.

3e et dernier P.-S. : Gabriel Vallée a passé Noël dans les Alpes. Dommage que j'aie refusé l'invitation de papa ! J'aurais peut-être croisé Tarzan sur les pentes de ski. À moins que sa mère n'ait tenté de m'empoisonner… J'ai reçu ce *e-mail* de France :

> *Très chère Fanny,*
> *En tendant bien l'oreille, il me semble que j'arrive à entendre, par-delà l'océan, ta voix dans la nuit. Alors je te parle comme si tu étais là.*
> *JOYEUX NOËL*
>
> *Tarzan*

Chapitre 6

Minnie Van de Wall reposa lentement sa tasse de café sur la table du Café Fou, un petit bistro sympathique à deux pas du collège. La veille, elle avait téléphoné à Fanny pour lui donner rendez-vous avant le début des cours. La jeune prof de théâtre avait beaucoup réfléchi pendant les vacances de Noël.

—Comprends-tu ma position, Fanny?

Fanny leva les yeux vers Minnie. Elle appréciait sa franchise et son intégrité.

—Oui. Tout à fait. Et j'aurais été déçue si vous aviez décidé d'en faire tout un plat. Ça ne m'aiderait pas…

—Je sais… Mais sois assurée que je ne répéterai plus jamais pareille erreur!

Lorsque Maryse est venue me voir avec sa suggestion, j'ai ressenti un malaise. J'aurais dû écouter mon instinct. Il y avait quelque chose de louche. Mais Maryse a été très habile en présentant sa proposition...

—Ça... j'en doute pas ! l'assura Fanny.

—Ce que je voulais surtout que tu saches, Fanny, c'est que les autres élèves aussi ont été manipulés. Comme moi ! Plusieurs le regrettent déjà. Ça se voit, ça se sent. Certains sont venus se confier... Nous devons tous assumer les conséquences, maintenant. Notre production sera moins bonne cette année. J'en suis persuadée. Non seulement parce que le meilleur Cyrano ne sera pas sur scène, mais parce que tout le monde a perdu une part d'enthousiasme. Ton copain Benoît accepte de rester, mais il n'est qu'à moitié présent.

Fanny buvait les paroles de Minnie Van de Wall. Il lui semblait soudain que tout n'était peut-être pas au pire dans le plus affreux des mondes.

—Merci..., murmura-t-elle.

Minnie Van de Wall parut surprise.

—Pourquoi ?

—C'est rare que les profs disent la vérité aussi... clairement. Je l'apprécie...

—Tant mieux ! Mais j'ai un peu honte que tu me remercies parce que j'ai une faveur à te demander.

Fanny fut de nouveau sur ses gardes.

—J'ai deux adorables petits garçons qui ont déjà brûlé deux gardiennes. Veux-tu l'emploi ? Mon mari et moi sortons environ une fois par semaine.

—Pourquoi moi ? demanda Fanny avec méfiance.

En devinant ce qui se passait dans la tête de Fanny, Minnie Van de Wall éclata de rire.

—Tu penses que je te fais une faveur déguisée parce que je trouve que tu fais pitié, hein ?

Fanny rougit, ce qui était rare.

—Pauvre chouette ! Attends de voir mes deux petits monstres ! Sérieusement, Fanny, j'aimerais beaucoup que tu acceptes. Au moins une fois... Je te vois bien avec eux. Ils ont besoin de quelqu'un de... différent.

* * *

Fanny avait décidé d'aller saluer Gabriel à sa case. Depuis sa conversation avec Minnie Van de Wall, elle se sentait plus forte, plus confiante. Elle s'arrêta net en tournant l'angle du corridor des élèves du profil sports-études.

Gabriel Vallée était en grande conversation avec Maryse Gagnon. Adossée à sa case, la jeune fille se dandinait dans une petite robe de lycra noire ultra-moulante. Une scène qui avait tout du cliché, comme dans un mauvais téléroman. Gabriel fouillait dans sa case pour y prendre les livres dont il aurait besoin dans la journée. De temps en temps, il se retournait, sans doute pour répondre à une question de Maryse, puis il replongeait dans son fouillis.

Fanny se sermonnait silencieusement.

« Du calme. Monte pas sur tes grands chevaux ! Gabriel Vallée ne sait pas que Maryse Gagnon t'a élue comme ennemie numéro un, qu'elle a monté des tas d'étudiants contre toi et qu'elle fait TOUT pour t'empoisonner la vie. Il DISCUTE avec elle. C'est tout. Ils ont peut-être déjà fréquenté le même camp de vacances. De toute façon… »

Fanny recula soudain, le souffle coupé, comme si elle avait reçu une charge monstre en plein ventre.

Gabriel avait cadenassé la porte de sa case. Puis il s'était penché vers Maryse. Et il l'avait embrassée.

* * *

Gabriel éteignit l'écran. Fanny avait simplement écrit:

Ne m'attends pas jeudi. C'est à mon tour d'être occupée. Je garde des enfants. Amuse-toi bien en bonne compagnie…

Pas un mot de plus. Pas de salutations. Rien.

Gabriel enfila un survêtement et chaussa ses souliers de sport. Il s'était déjà entraîné ce matin – six fois cinq cents mètres ! – mais tant pis. Il avait besoin de courir.

De se sauver.

Une neige fine brouillait l'horizon. Le mercure n'avait pas trop chuté. Gabriel amorça un jogging léger. Son cœur battait fort, mais ce n'était pas à cause de l'effort.

Ne m'attends pas jeudi… Fanny disait qu'elle gardait des enfants, mais quelque chose, dans le ton du message… Et cette phrase: *Amuse-toi bien en bonne compagnie…* Serge et Solange ne méritaient pas tout à fait l'étiquette de « bonne compagnie ». Pourquoi Fanny était-elle soudain sarcastique ?

« J'aurais dû tenir tête à ma mère jusqu'au bout, l'envoyer au diable avec son maudit dentiste, songea Gabriel en accélérant. Si ça continue, je vais devenir fou. Cinglé. Complètement patraque. »

Il avait l'impression que sa mère l'avait fait exprès. Avait-il mentionné qu'il avait rendez-vous avec une fille les jeudis ? Il ne s'en souvenait plus. Mais il se rappelait clairement la confrontation avec sa mère.

Elle avait refusé d'annuler les deux rendez-vous sous prétexte que le Dr Laramée était un ami de famille et qu'il leur avait rendu de précieux services.

— Rappelle-toi, Gabriel, le soir où ton partenaire de tennis t'a presque arraché deux dents. Tu saignais à pleine bouche. Luc Laramée a quitté sa famille pour t'ouvrir les portes de son cabinet. Un dimanche ! Sans lui, tu aurais souffert le martyre et tu n'aurais pas une dentition aussi parfaite aujourd'hui.

— O.K. Il est gentil. Mais je ne peux pas être là jeudi. Je vais l'appeler moi-même. Je suis sûr qu'il va comprendre.

— Je te défends bien de l'importuner ! avait répliqué Solange.

La suite ? Comme d'habitude ! Solange avait joué sur tous les registres : menaces, plaintes, reproches, hauts cris. À cette étape, l'affaire avait pris des proportions démesurées. Ce n'était plus une simple question de rendez-vous chez le dentiste. Solange Vallée se plaignait d'avoir un fils ingrat et elle invoquait des valeurs aussi impressionnantes que le respect et la loyauté.

Gabriel avait finalement capitulé. Il ne se rangeait absolument pas aux arguments de sa mère. Il avait seulement envie qu'elle se taise. Que ça cesse. Il rendait les armes. Une fois de plus. Et il se détestait de le faire.

De son côté, Serge avait rappliqué avec sa proposition de stage dans une firme pendant l'été, alors même que Gabriel projetait de s'inscrire à Circus, une session de perfectionnement donnée par un vétéran du Cirque du Soleil. Deux fois déjà, il avait tâté le terrain auprès de ses parents.

— Voyons, Gabriel, ce sont des amusements puérils. Des techniques de cirque ! l'avait coupé Solange sur un ton signifiant que, pour elle, le sujet était clos.

Avec son père, la discussion avait rapidement dégénéré.

—Si tu as envie de te payer du bon temps, on ira tous à Ogunquit après ton stage chez Germain Dion, avait-il commencé.

—Ce n'est pas une question de bon temps ! avait éclaté Gabriel. La haute voltige, c'est ma passion ! Je serais heureux de gagner ma vie comme ça. Mais je n'ose même pas y penser. J'essaie de me faire à l'idée que je suis né pour diriger une entreprise. Comme mon père. Mais, au fond, c'est ton rêve à toi, papa. Pas le mien.

—Tu parles comme un enfant gâté, le rabroua Serge Vallée. Un jour, tu auras des bouches à nourrir. Une famille à faire vivre. Une femme à rendre heureuse. Et tu ne t'en tireras pas en faisant des pirouettes de saltimbanque.

Des pirouettes de saltimbanque !

Gabriel redoubla de vitesse. Les muscles de ses jambes l'élançaient, et il éprouvait une vague nausée. « Je ne courrai jamais assez vite pour échapper à mes parents », s'avoua-t-il avec amertume.

Et encore ! Il n'y avait pas qu'eux. Récemment, il lui semblait que bien des gens tentaient d'exercer leur pouvoir sur lui, de régir sa vie, de le pousser là où il n'avait pas envie d'aller. Les profs, les entraîneurs. Et d'autres encore. Cette Maryse, par exemple. Une très jolie fille. Sexy. Intelligente. Hyper sociable. Pourtant, elle le mettait mal à l'aise. Il avait parfois la désagréable impression de n'être qu'un vulgaire insecte prisonnier de sa toile. Maryse l'araignée ! Sans doute était-il injuste… Simplement, elle lui faisait penser à sa mère. Cette fille-là semblait prête à tout pour parvenir à ses fins.

* * *

—Gabriel Vallée ne m'intéresse même plus. Mais quand j'ai vu la rejet marcher vers nous, j'ai pensé lui servir une leçon.

Mylène écoutait son idole, les yeux ronds d'admiration.

—Tu aurais dû lui voir l'air quand Gab m'a embrassée. Le pire, c'est qu'il s'est contenté d'un petit bec. J'en connais d'autres qui en auraient profité…

—Mais… comment t'as fait pour qu'il t'embrasse exactement à ce moment-là ? demanda Mylène, ébahie.

—Nigaude! Penses-y un peu… Ce n'est pas sorcier! Je lui ai dit que c'était ma fête. Mais, attention: le gars a beau être un athlète, il n'est pas vite vite sur ses patins. Il a fallu que j'insiste: «Ça mérite pas un petit bec?» Comment voulais-tu qu'il s'en sorte, après?

Trente centimètres de neige
et le cœur congelé

Chère Poutine,

Au fond, Luce a sans doute raison.
Ce qui compte, c'est le charme, la séduc-
tion. Le reste, c'est de la foutaise.

Si je veux que Gabriel Vallée s'intéresse à moi, je n'ai qu'à me déguiser en
Maryse Gagnon. Ou en Mylène
Berthiaume. Alors, une fois séduit par
mon irrésistible beauté et ma sensualité
troublante, Tarzan s'intéressera peut-
être un peu à mon âme.

Benoît dit que je suis de mauvaise
foi. Que c'est normal d'être sensible à

l'apparence physique. Moi, je pense que si tous les hommes sont comme mon père, j'aime mieux m'en passer. Je me convertis aux poissons rouges.

Fanny-la-forte-qui-a-quand-même-pleuré-dans-les-bras-de-Benoît

Nuit magique

Chère Poutine,

Je ne sais plus par où commencer. J'ai peur. J'ai hâte. J'ai mal au ventre. C'est... merveilleux !

J'étais déguisée en lapin quand il a sonné... Non. Attends ! Je recommence...

J'avais emprunté un costume de lapin au local d'art dramatique pour aller garder Bruno et Jacob, les deux petits monstres de Minnie. J'avais aussi apporté des livres, du maquillage et une vieille trousse de magicien. Bruno et Jacob ont autant d'énergie qu'une armée de sauterelles gavées de sucre mais, lorsqu'on les tient occupés, ils sont adorables. C'était presque l'heure du dodo. J'allais commencer à leur raconter *La véritable histoire de Pinocchio* quand la sonnerie de la porte d'entrée nous a fait sursauter.

Heureusement, je me suis rappelé que Minnie et son mari m'avaient laissé un trousseau de clés pour « quelqu'un qui devait passer ». Eh bien ! tiens-toi bien, ce quelqu'un, c'était... Gabriel Vallée !

Le pauvre avait l'air totalement perdu. Un peu à cause de mon costume de lapin, bien sûr, mais aussi parce qu'il ne savait pas que son entraîneur, Thierry Maheux, avait fabriqué deux petits garçons avec ma prof de théâtre – remarque que moi non plus je ne le savais pas avant ce soir ! – et que c'était moi, Fanny Dubois, l'illustre nouvelle gardienne de ces deux enfants. Ouf !

On se regardait bêtement, sans rien dire. J'ai bégayé quelques phrases pour tenter d'expliquer ce que je faisais là avec mon habit de peluche, mes grandes oreilles et ma queue en pompon. Et, tout à coup, nous avons éclaté de rire. En même temps. C'était probablement la seule chose intelligente à faire. N'empêche que, pendant tout ce temps, Bruno et Jacob réclamaient leur histoire en me tirant sur la queue, alors j'ai remis les clés au « quelqu'un qui devait passer ». J'allais lui souhaiter bonne soirée puis plonger dans les aventures de Pinocchio, Gepetto et le Grillon Parlant, lorsque Jacob, trois ans et demi, a demandé : Est-ce que c'est ton amoureux ?

Je l'aurais pendu par les oreilles ! Aussitôt, Gabriel Vallée a répondu : Non. Fanny a déjà un amoureux.

Quoi ? ! J'allais répliquer lorsque Jacob a fondu en larmes. Décidément ! J'avais l'impression de jouer dans une pièce du théâtre de l'absurde. Jacob a levé vers moi des yeux dégoulinants de tendresse et j'ai reçu, comme ça, d'un coup, sans m'y attendre, la plus belle déclaration d'amour du monde. C'est MOI ton amoureux ! a-t-il lancé du haut de son mètre et quelques poussières.

Quelques minutes plus tard, Jacob était consolé, et Gabriel Vallée découvrait que Benoît, mon meilleur copain, est homosexuel.

—C'est quoi, un homosexuel ? a demandé Bruno.

Quelle soirée !

Gabriel se préparait à prendre congé lorsque Bruno a voulu savoir si on lui avait déjà raconté *La véritable histoire de Pinocchio*. La réponse étant négative – ça m'étonne, quand même ! –, Bruno a invité Gabriel à rester pour écouter l'histoire.

J'étais sûre qu'il refuserait. Au lieu de quoi, il m'a lancé un regard suppliant, à croire qu'il ne pouvait rien imaginer de plus excitant à faire un jeudi soir. Pendant que je lisais, je sentais le regard de Gabriel posé sur moi. Ses yeux sont d'un brun si clair qu'on les dirait dorés. Il fallait que je me concentre très fort pour bien rendre l'histoire. Jacob était sur mes genoux et Bruno appuyait sa tête sur mon épaule. J'aimais ça. J'étais bien. Peu après l'épisode où le nez de Pinocchio s'allonge pour la première fois, Jacob est tombé endormi et, juste avant la première bêtise du pantin, Bruno l'a suivi.

Gabriel m'a aidée à les mettre au lit. C'est fou comme c'est lourd, ces petites bibittes-là ! Puis on s'est retrouvés seuls, Gabriel et moi. Il m'a demandé s'il pouvait rester encore un peu. Je le revoyais penchant la tête pour embrasser Maryse.

J'avais envie de lui demander s'il l'aimait. J'aurais voulu qu'il me jure qu'il ne l'aimait pas. Ou qu'il ne l'aimerait plus. Je ne savais pas si c'était son corps ou son âme qui me chamboulait, la profondeur de son regard ou l'éclat des paillettes d'or au milieu, mais j'avais les mains moites, la gorge sèche, les oreilles bourdonnantes, le cœur en ascenseur et un troupeau de papillons dans l'estomac. Surtout, j'avais peur. Mais plus encore, j'avais envie qu'il reste.

On a parlé, parlé, parlé. Moi surtout. Mais lui aussi quand même. De ses parents. Ils s'acharnent à contrôler sa vie. Gabriel se sent étouffé. On dirait que ses parents l'empêchent de rêver. De s'inventer la vie dont il a envie. C'est grave. Très grave ! Moi, je pense que Gabriel devrait se révolter. Leur clouer le bec. Les envoyer carrément promener. À sa place, je l'aurais fait depuis des siècles déjà !

Moi, j'ai parlé… de toi. J'ai raconté à Gabriel comment, le lendemain du départ de papa, tu avais disparu toi aussi. Ma belle Poutine, ma petite chatte d'Espagne devenue énorme avec les années… et les friandises de luxe au bacon et au foie de poulet. Je lui ai raconté comment, alors même que je n'arrivais pas à croire que papa puisse être parti, tu t'étais éclipsée toi aussi.

À la fin, j'avais une citrouille dans la gorge. Gabriel me regardait. Ses yeux sont comme des soleils. Ça m'a aidée. J'avais envie de me blottir tout contre lui, d'appuyer ma tête sur son épaule, de m'enfouir dans la chaleur de ses bras. Mais tu sais comme je suis nouille, alors, au lieu de ça, je lui ai demandé s'il avait lu *Cyrano*. Il m'avait promis de le faire…

Réponse affirmative. Et il adore. Fiou! Le contraire m'aurait trop déçue. Gabriel m'a alors confié qu'il souhaite aimer une femme avec autant d'ardeur que Cyrano et qu'il rêve lui aussi d'être aimé ainsi. Sinon, il préfère vivre seul. Ne pas aimer et ne pas être aimé du tout.

Je brûlais de lui demander si ça lui était déjà arrivé. Il ne pouvait quand même pas aimer Maryse Gagnon de cette façon! Bien sûr, je n'ai pas osé. Alors, je me suis lancée dans un long exposé sur… le nez de Cyrano. Et l'insignifiance de la beauté, les dangers de ses artifices, le défi d'aimer non pas ce qu'on voit, mais ce qui se cache au-delà.

Je lui ai parlé de ma mère, de l'énergie folle qu'elle a déployée, toute sa vie, pour être séduisante. Je lui ai parlé de mon père et de sa nouvelle poupée vivante. Je lui ai expliqué que, moi, je refusais de participer à ce jeu-là : tout faire pour être belle dans le but de plaire. L'homme qui m'aimera – si un jour ça m'arrive – ne sera pas attiré par mes yeux, mes cheveux, mon nez, mes jambes, mes seins ou mes hanches…

J'ai dû m'arrêter là. Je n'avais pas le choix. Il n'y avait plus d'air à respirer. Gabriel Vallée m'avait cloué le bec.

En m'embrassant.

Les mots me manquent, Poutine. Il faudrait que Cyrano me les souffle. Je ne peux pas t'expliquer ce qui s'est produit dans mon corps, dans mon cœur, dans ma tête, pendant que Gabriel Vallée m'embrassait.

Je me souviens seulement qu'une marée fabuleuse m'a emportée. Que c'était chaud et doux et tendre et merveilleux. J'avais l'impression de toucher à la lune et au soleil, aux étoiles et à la mer. En même temps.

Dis-moi, Poutine, est-ce que c'est ça, l'Amour ?

Ta Fanny pour toujours

Chapitre 7

La neige s'était mise à tomber. Très fort. Et c'était la plus jolie tempête du monde. Gabriel repassait la soirée comme un film dans sa tête.

Fanny avec ses deux grandes oreilles de lapin et son costume rose.

Fanny encourageant Jacob à souffler comme un dragon dans le grand mouchoir « pour sortir toute sa peine ».

Fanny seule avec lui. Timide, soudain. Il avait suggéré qu'elle enlève le bonnet de lapin. L'extraordinaire fleuve noir ! Il aurait tant voulu y plonger ses mains.

Fanny qui l'écoutait. Grave. Attentive.

Fanny qui s'enflammait tout à coup.

Fanny la belle épouvantail lui expliquant pourquoi elle refusait de faire des simagrées pour plaire.

Fanny qui s'emballait encore. Sincère, ardente. Si extraordinairement intense.

Et son sourire, brusquement. Comme un éclair !

Ses mains, comme des oiseaux dans l'espace pour appuyer ses mots.

Son cou si fin.

Et voilà qu'elle relevait son épaisse crinière, secouait cette mer sombre, la répandait tout autour.

À la fin, il n'en pouvait plus.

Il n'avait pas réfléchi.

Il l'avait embrassée.

Et pendant qu'il découvrait ses lèvres, pendant qu'un long frisson ébranlait son corps tout entier, une petite voix lui avait confirmé qu'il n'avait plus à chercher. C'était elle. Oui. C'était bien elle. Fanny Dubois.

Sa Roxane. Cette voix qui, pour lui, perçait la nuit.

* * *

Fanny franchit les grilles du collège en pestant contre elle-même. Elle n'arrivait pas à dompter cette angoisse quotidienne. Elle avait espéré qu'après le congé de Noël Maryse aurait oublié. Ou qu'elle aurait trouvé une autre victime. Mais Fanny restait l'ennemie numéro un.

Maryse était comme un ouragan de plus en plus destructeur avec le temps. La semaine précédente, Fanny avait trouvé son costume de gym aux objets perdus, mouillé et puant. Comme s'il avait trempé dans une cuvette des toilettes... Deux jours plus tard, elle découvrait un nouveau graffiti sur sa case. Quatre lettres : PUTE.

Il y avait aussi les insultes, les coups d'épaule et de coude sournois dans les corridors, les rumeurs dégradantes, les regards méprisants. Fanny avait de plus en plus de difficulté à ne pas se laisser abattre. Elle se sentait toujours sur le qui-vive. La tension était constante. Mais ce n'était pas le pire. Le pire, c'était la honte.

Fanny gardait la tête haute. Publiquement, elle paraissait toujours aussi sûre d'elle. Inébranlable, forte. Elle n'hésitait pas à dire le fond de sa pensée, elle n'avait changé ni son allure ni ses habitudes. Mais secrètement, plus rien n'était pareil. Secrètement, elle avait honte. Elle avait l'impression d'être tarée.

Un matin, l'an dernier, son père avait annoncé :

— Je t'aime, Fanny. Mais ma vie est ailleurs. Tu es assez grande pour comprendre…

Elle s'était sentie laide, indésirable, rejetée, pourrie.

Quelques mois plus tard, Maryse avait lancé :

— T'es *flushée* ! Entends-tu ? On ne veut plus rien savoir de toi. T'es juste un petit tas de merde.

Et Fanny avait eu l'impression d'entendre le même horrible refrain.

Heureusement, il y avait Gabriel. Au collège, ils se voyaient peu, et, les weekends, Gabriel avait toujours quelque tournoi, mais ils *chattaient* encore tous les soirs, refusant le téléphone par fidélité à l'écran où ils s'étaient rencontrés. À deux reprises, ils avaient réussi à se retrouver au bord de la rivière Richelieu.

— Si je pouvais, je laisserais tomber un sport…, avait confié Gabriel la dernière fois. Mais je risquerais de perdre la bourse sports-études. Les abandons sont mal tolérés au collège…

— Tu y tiens beaucoup, à cette bourse ? avait demandé Fanny.

Gabriel avait semblé très las tout à coup.

— Franchement ? Non. Pas du tout. Ce que j'aime, c'est la haute voltige et aussi la course à pied. Le reste…

Il avait poussé un long soupir en laissant son regard courir sur la rivière gelée.

— Parce que je réussis bien dans à peu près tous les sports, les entraîneurs mettent beaucoup de pression. L'an dernier, je ne me suis pas réinscrit dans l'équipe de soccer. Le directeur de niveau m'a convoqué pour dire qu'on comptait sur moi, que l'équipe n'allait pas franchir l'étape des demi-finales sans ma participation. Cette année, j'étais bien décidé à me concentrer sur ce qui compte le plus pour moi. Mais mes parents ont entendu parler de la bourse sports-études… Disons qu'ils ont mis de la pression. Beaucoup de pression.

Fanny avait découvert un autre Gabriel au cours de ces deux brèves soirées. LE beau gars de l'école, champion de tout, admiré de tous, ne ressemblait pas du tout à l'image qu'il projetait. Il ne planait pas au-dessus de la mêlée. Il se débattait, lui aussi. Il subissait des coups, lui aussi. Il se sentait souvent seul et impuissant, lui aussi.

Ils n'avaient jamais reparlé du long baiser échangé sur le canapé. Thierry et Minnie avaient ouvert la porte d'entrée juste comme Fanny et Gabriel s'écartaient lentement l'un de l'autre en ouvrant les yeux, étourdis et heureux. Le jeudi précédent, Fanny avait eu l'impression que Gabriel hésitait lorsqu'ils s'étaient quittés. Comme s'il avait voulu l'embrasser au lieu de simplement caresser sa joue. Fanny se demandait s'il était timide ou simplement hésitant. Pour elle, c'était clair. Elle mourait d'envie de se réfugier contre lui, de se remplir de son odeur, de goûter encore et encore à ses lèvres, à sa bouche. Elle aurait pu faire les premiers pas. Si elle avait été totalement sûre qu'il partageait les mêmes sentiments... Benoît avait vu Gabriel deux fois en compagnie de Maryse. Peut-être était-il en période de réflexion... Peut-être se demandait-il encore si Fanny Dubois entrait dans la case amour ou amitié.

* * *

Hubert Labrie, le prof de français, ne s'était pas attendu à éveiller de telles passions. Il avait décidé de mettre *Cyrano de Bergerac* au programme en février afin de faire connaître la pièce que montait Minnie Van de Wall avec ses élèves. Le groupe 314 réunissait plusieurs membres de la troupe, il avait donc espéré une belle participation à la discussion. Sans plus.

La question était simple : Commentez la sortie de Cyrano, dans l'acte II, scène VIII, après que le héros a été sermonné parce qu'il a l'âme « un peu trop mousquetaire ». Hubert Labrie avait lui-même attaqué la réplique :

— *Et que faudrait-il faire ? Chercher un protecteur puissant, prendre un patron…*

Une voix s'était élevée, comme un écho. Simple murmure d'abord, puis de plus en plus affirmée. L'enseignant était pourtant le seul à posséder un exemplaire de la pièce d'Edmond Rostand. Or, Fanny Dubois enchaînait maintenant vers sur vers, de mémoire et avec fougue.

— *Grimper par ruse au lieu de s'élever par force ?*

Non, merci.

Tous les regards étaient tournés vers elle. Hubert Labrie comprit alors que

Fanny s'adressait à quelqu'un. Mylène Berthiaume. Il s'était passé quelque chose entre ces deux élèves. Et, visiblement, l'heure du règlement de comptes avait sonné.

Fanny poursuivait sans jamais se tromper. Elle semblait déchaînée. L'enseignant remarqua qu'une partie des élèves l'observaient avec admiration, l'autre avec mépris. Et lorsqu'elle scanda les mots : *Calculer, avoir peur, être blême...* bientôt suivis d'un énergique : *Non, merci! non, merci! non merci!*, il y eut des houou! et des bouou!... mais également des applaudissements.

Sur ce, Maryse Gagnon y était allée d'une réplique qui n'était pas dans *Cyrano* :

— Pourquoi t'énerves-tu, la rejet? Rendors-toi. Les ramasseurs de poubelles passent pas aujourd'hui.

Hubert Labrie ne pouvait faire comme s'il n'avait pas entendu. Il avait expulsé Maryse de la classe.

* * *

— Fanny! Attends!

Benoît rattrapa son amie alors qu'elle tournait le coin de la rue.

Fanny l'accueillit avec un regard de feu.

—Je sais tout ! lança Benoît pour annoncer ses couleurs.

— Alors, ne dis rien, veux-tu ?

Benoît contempla son amie. Il avait mal pour elle. Les autres s'imaginaient que c'était une tête forte. Lui savait que, derrière sa carapace de fer, Fanny Dubois avait le cœur en guimauve.

—Qu'est-ce qui t'a pris, Fanny ?

Elle leva vers lui un regard d'enfant coupable.

—Je suis conne ! Ça te va comme réponse ?

Déjà, elle regrettait ses paroles. Elle poursuivit, piteuse :

—Je sais pas ce qui m'a pris… Juste avant le cours, Mylène a essayé de me faire trébucher. Sur les conseils de Maryse, bien sûr. J'ai tout vu, tout entendu. Et, comme d'habitude, j'ai continué mon chemin. Mais la réplique de Cyrano a réveillé ma rage. Les mots sont montés en moi. Ils exprimaient exactement ce que j'avais envie de dire.

Fanny avait peur, maintenant. Benoît le sentait. Elle n'était plus Cyrano. Et elle savait bien que, pour se venger, Maryse Gagnon serait prête à tout.

* * *

—Moi, je pense qu'on devrait arrêter de lui tomber dessus, déclara Mylène.

Alexandre faillit s'étouffer. Pauvre Mylène ! Elle n'avait rien compris. Il n'avait qu'à regarder Maryse pour deviner que la moutarde lui montait au nez.

—Qui t'a demandé de penser ? siffla Maryse.

Mylène rentra la tête dans les épaules. Il suffisait de peu pour qu'elle s'écrase. À son tour, Laurent partit pour l'abattoir. Dernièrement, il tenait tête à Maryse plus souvent.

—Ce que dit Mylène, c'est pas si fou. Plus on écœure Fanny Dubois, plus elle garde la tête haute et plus les autres l'admirent. Dernièrement, Gabriel Vallée a l'air pas mal *chum* avec elle. Pour une rejet, elle se débrouille pas trop mal…

—Pour l'instant, Laurent. Pour l'instant… Mais j'ai pas fini avec elle.

Maryse avait réussi à piquer leur curiosité.

—J'ai fait ma petite enquête, annonça-t-elle. Je sais ce qui fait courir Gabriel Vallée !

Maryse fit une pause.

—Allez, crache…, la pressa Alexandre.

—L'acrobatie aérienne ! Moi, je trouve ça moumoune, mais, bon… Il s'entraîne sous la supervision de Thierry Maheux, le crack qui voulait ouvrir une option du genre cirque-études. Gabriel Vallée rêve de faire le Cirque du Soleil.

—Et qu'est-ce que ça change ? voulut savoir Alexandre.

—Disons que ça me donne des munitions pour faire chier Fanny Dubois en lui piquant son Apollon.

—Son quoi ? demanda Laurent.

—Cherche dans le dictionnaire ! répondit Maryse d'une voix tranchante.

Laurent lança un coup d'œil à Mylène et à Alexandre. Eux aussi en avaient plein le dos des humeurs de Maryse Gagnon. Mais Mylène avait besoin de Maryse pour lui servir de colonne vertébrale et Alexandre couchait avec elle. Il n'y avait rien à faire.

Pour l'instant.

Trois mois exactement
avant les représentations
auxquelles je n'assisterai pas

Chère Poutine,

La date de la première est fixée. Le 8 mai! En vedette: Alexandre Duhamel et Maryse Gagnon. Quand j'ai vu leurs noms imprimés en grosses lettres... C'est allé me chercher creux. Très creux.

Jusqu'à présent, Benoît évitait le sujet. Après avoir vu l'affiche, je suis allée aux nouvelles. L'assistant à la mise en scène juge que les deux vedettes ne se débrouillent pas trop mal, mais qu'elles manquent d'éclat et d'allant. Il dit que

Maryse livre une Roxane bêtement sentimentale. Elle n'est jamais transportée. Elle marche au lieu de voler.

J'ai failli embrasser Benoît. C'était exactement ce que j'avais envie d'entendre. Alors j'ai voulu savoir comment Alexandro Cyrano s'en tirait. Benoît dit qu'au début c'était bien. Alexandre arrivait à faire croire qu'il était follement amoureux de Roxane. Mais, de semaine en semaine, on dirait que ses sentiments se diluent. Benoît craint qu'à ce rythme-là, le soir de la première, il lui restera à peine un peu d'affection pour sa cousine, alors qu'il est censé brûler de passion.

Benoît mérite mieux ! Il travaille fort avec Minnie. Les personnages de *Cyrano*, il les voit, il les sent. Samedi, nous avons revu la vidéo du film où Gérard Depardieu joue Cyrano. Eh bien ! Benoît m'a confié qu'il rêvait d'un Cyrano encore plus énergique, encore plus déchaîné. Même physiquement. Il le voit courir, sauter, prêt à décrocher la lune pour sa belle cousine.

Moi aussi.

(Soupir)

Autres nouvelles ? René a *flushé* maman. Ça fait une semaine déjà. Elle ne me l'a pas dit tout de suite. Hier, c'est sorti. Je suis rentrée tard parce que je gardais Jacob et Bruno après l'école. À mon retour, j'ai trouvé maman dans la cuisine, les cheveux défaits, une vieille chemise de nuit sur le dos et le nez plongé dans un énorme sac de chips. Ça, ça veut dire : grosse, grosse déprime.

Luce dit qu'il l'a échangée contre un nouveau modèle : T'avais raison, Fanny. C'est clairement pas mon âme qui l'intéressait !

Je me suis approchée doucement et je l'ai prise dans mes bras. Aussitôt, elle a éclaté en sanglots. Son beau René, je lui arracherais les couilles et j'en ferais des brochettes.

L'autre – son ex, mon père… – m'a expédié un bracelet pour la Saint-Valentin. Les mêmes pierres ultra-bleues que celles du pendentif pour mon anniversaire et des boucles d'oreilles pour Noël. Il s'y est pris d'avance : la Saint-Valentin, c'est juste dans une semaine.

Ses bijoux, je ne les ai jamais portés. Même que son bracelet, j'ai failli le jeter dans les toilettes. Je l'ai dit à Luce. Je pensais que ça la remonterait. Je lui ai dit qu'à mon avis c'étaient tous des hypocrites.

Luce s'est levée tranquillement, elle a fouillé dans le coffre d'acajou du salon et elle est revenue avec une lettre.

De papa.
À elle. Et aussi à moi.

Édimbourg
Le 12 novembre 1986

Mes princesses,

Plus que trois jours de tournage et je rentre. Enfin! J'en ai plein le dos des châteaux d'Écosse. Mon palais à moi est ailleurs.

Je vous vois partout. Les autres disent que je suis fou. Ils ont sûrement raison! Je suis amoureux patraque. Totalement ensorcelé par vous deux.

Je n'ai plus le droit de montrer les dernières photos de Fanny. Dès que je sors l'étui, tout le monde crie : CHOUOU! Ils crèvent de jalousie.

Je me demande quels nouveaux miracles Fanny a accomplis. Pas trop, quand même, j'espère. Je voudrais toujours qu'elle m'attende... A-t-elle perdu une dent? Appris un nouveau mot pour impressionner la galerie? Ici, tout le monde

sait qu'elle jure à grands coups de
« sapelipopette ! ». Comme toi, Luce. Ma
belle amour…

Mon lit est vide et froid. Mais ce qui me
manque surtout, ce qui me manque plus
que tout, c'est ton rire. Une cascade. Un
cadeau. Dix milliards de grelots !

Je t'adore et je te reviens tout bientôt.
Avant cette lettre. J'espère…

Louis

Après deux phrases, je pleurais déjà.
J'aurais traversé l'océan à la nage rien
que pour l'entendre dire : Salut, princesse ! Comme tous les matins. Avant…

Luce a rangé la lettre et, après, elle
m'a parlé. Elle voulait que je sois con-
vaincue que papa nous a aimées très fort
toutes les deux. Elle dit que peu de
femmes ont été aimées autant.

Je n'avais même pas l'air sceptique.
Au fond de moi, je savais qu'elle disait
vrai. J'ai quand même fait l'avocat du
diable.

Moi : Le problème, c'est qu'il aime
pas longtemps…

Luce m'a contemplée, l'air grave.

Luce : Faux. Quinze ans, pour lui,
c'est presque un siècle. Il m'a aimée le

plus longtemps qu'il pouvait. Le plus longtemps qu'il avait jamais aimé. Et toi, il t'aimera toujours. À sa manière, excessive et maladroite sans doute. Mais, crois-moi, il t'aime encore comme un fou.

Cette discussion m'a fait réfléchir. Je sais que Gabriel a de l'amitié pour moi. De l'affection même, c'est sûr. Mais m'aime-t-il avec passion ? Suis-je vraiment son genre ? Est-il simplement timide ou bêtement indécis ? Ah ! Poutine ! J'ai tellement besoin de savoir.

J'ai peur. Parce que je l'aime déjà. J'ai peur d'avoir mal. Et plus le temps avance, plus je l'aime, plus j'ai peur de lui.

Alors, j'ai décidé de lui forcer le bras. De l'acculer doucement au pied du mur en lui offrant un cadeau de Saint-Valentin. Un cadeau pour la fête des *amoureux*. C'est assez clair comme message, non ? Après, la balle sera dans son camp.

Ta Fanny qui tremble

P.-S. : En discutant avec Gabriel, jeudi dernier, j'ai compris qu'il n'était pas au courant de la petite guerre entre Maryse et moi. Ce gars-là vit sur une autre planète. Il ne sait pas que des dizaines d'élèves me traitent comme si j'avais la lèpre. Ils n'ont rien contre moi et ils ne sont pas nécessairement des fans de Sa Majesté Maryse Gagnon, mais ils ont décidé de ne pas prendre de risque. Comme s'ils craignaient que je sois contagieuse. Comme si, en s'associant à moi, ils risquaient d'être tarés à leur tour. Remarque que c'est un peu vrai. Maryse y veille…

Chapitre 8

Gabriel avait failli répandre le contenu de son plateau – trois hamburgers, une soupe, deux yogourts – sur le sol de la cafétéria. Il était perdu dans ses pensées, totalement concentré sur la vrille inversée que Thierry avait ajoutée à sa routine. Il travaillait toujours ainsi, répétant mentalement – dix fois, vingt fois, cent fois – le même enchaînement pour mieux l'inscrire dans son cerveau.

— Je t'ai fait peur ? susurra Maryse. Je t'ai à peine touché…

Gabriel s'efforça d'être courtois.

— C'est ma faute… Je ne regardais pas où j'allais.

— Excuse-moi… Écoute, Gab, j'aurais une faveur à te demander…

Gabriel se raidit. Il n'aimait pas le tour que prenait la conversation.

—Je t'écoute, dit-il un peu sèchement.

Maryse ne se laissa pas émouvoir par le ton. Elle poursuivit, mielleuse :

—Je cherche quelqu'un... qui n'existe peut-être pas.

—Ah bon ? fit Gabriel, amusé malgré tout.

—C'est pour le projet de fin d'année... Tu sais, le truc « ayant un impact dans la communauté », comme ils disent. Ça me travaille depuis longtemps. Je me fiche pas mal des crédits supplémentaires, mais j'ai envie... de m'investir.

Maryse s'arrêta un moment, le temps de faire battre ses longs cils et de laisser cheminer le message.

—J'ai eu une idée... On est plusieurs à être emballés, mais pour que ça marche, on a besoin d'un athlète... spécialisé.

Maryse scruta le regard de Gabriel Vallée. Tout baignait dans l'huile. Il n'était plus méfiant, le sujet l'intéressait, et sa curiosité était piquée.

—Tu sais que je suis passionnée de théâtre. C'est moi qui joue Roxane dans *Cyrano*, la production de l'année...

Mais ma véritable passion, c'est la mise en scène. Alors j'ai pensé à un projet... un peu fou...

Elle fit semblant d'hésiter, de manquer d'audace.

—Je t'écoute..., l'encouragea Gabriel.

Maryse inspira, comme pour se donner du courage et, les yeux brillants, elle s'élança :

—Je veux monter un spectacle très court, mais... magique ! Quelque chose qui fait rêver. On le présenterait dans les foyers pour personnes âgées. Il paraît que les vieux retombent en enfance... Le spectacle s'intitulerait : Rêves de cirque. Il y aurait un numéro de clowns. Laurent et Alexandre, deux super comédiens, travaillent déjà très fort sur ça. Un numéro de bête... Ma copine Mylène a eu une idée géniale ! Les vieux vont adorer... Il nous manque quelqu'un pour un numéro plus... athlétique. Écoute, il n'y a peut-être personne qui fait ça au collège, mais je pensais – idéalement ! – à des acrobaties aériennes. Une belle routine sur musique. Quelque chose d'assez spectaculaire et réalisable en petite salle. Connais-tu quelqu'un ? Une fille, peut-être...

Gabriel était tout oreilles. Il avait renoncé au projet communautaire de fin d'année parce que son horaire était déjà encombré alors même qu'il désirait consacrer plus de temps à une entreprise hautement importante : apprivoiser Fanny Dubois. Le soir où il l'avait embrassée, il l'avait prise totalement par surprise. C'était flagrant. Mais, depuis, il avait la trouille. Fanny lui faisait penser à un petit animal sauvage. Farouche, instinctive, féroce et fragile. Il ne voulait pas faire de faux pas. Il avait peur de la brusquer. Peur de tout gâcher. Alors, il prenait son temps, il avançait doucement. Parce qu'il tenait vraiment à elle.

Fanny Dubois était son plus précieux projet. Mais voilà que Maryse Gagnon lui offrait une participation facile et excitante. Il maîtrisait plusieurs routines sur poutre. Maryse n'aurait qu'à choisir. Ainsi, il bénéficierait des crédits supplémentaires – lui-même s'en fichait, mais ses parents seraient aux anges – et, si sa participation au projet était jugée suffisamment méritoire, il obtiendrait la mention « distinction honorifique » sur son certificat d'études. Ce truc-là n'avait que peu de valeur pour lui, mais ce serait une merveilleuse façon de prouver à ses parents que ses pirouettes de saltimbanque, comme disait son père, pouvaient être appréciées et reconnues.

Maryse exultait. Le poisson semblait prêt à mordre à l'hameçon. Elle ajouta quand même :

—Écoute… Je voulais pas t'embêter avec ça. Tous ceux à qui j'en ai parlé m'ont dit qu'ils ne connaissaient personne. On dirait que je cherche quelqu'un qui n'existe pas.

—Non… Je connais peut-être quelqu'un… Mais j'aimerais… lui en parler avant. Euh… Réfléchir… Écoute ! Si on se reparlait demain, qu'en penses-tu ?

—Ça me va…, répondit Maryse en s'efforçant de cacher sa déception.

« Je connais peut-être quelqu'un… Quelle belle marque de confiance ! » songeait-elle avec amertume.

* * *

Fanny chiffonna un autre bout de papier. En mordillant sa lèvre inférieure, elle fit une nouvelle tentative :

Pour cette fête des amoureux, je t'offre Cyrano et Roxane au lieu de Roméo et Juliette.

—Ouache ! C'est nul.

Elle raya furieusement les derniers mots, s'arrêta pour réfléchir de nouveau et, soudain, elle repoussa tous les papiers et s'empara du livre, une édition de luxe de *Cyrano de Bergerac*. Directement sur la page de garde, elle écrivit au stylo, d'une traite :

À Gabriel,
Pour la Saint-Valentin.
Je t'aime.
Fanny

* * *

Gabriel adorait courir l'hiver, à la nuit tombée. À cause du silence et des étoiles. Seul sur la route traversant les champs glacés, il avait l'impression que le monde lui appartenait. Que plus rien n'était impossible. Au troisième cinq cents mètres, il avait déjà pris plusieurs décisions.

Premièrement. Il accepterait la proposition de Maryse. Il avait relu les consignes définissant le projet communautaire dans son agenda scolaire : « Travail de groupe réunissant au moins cinq élèves dans une initiative originale ayant pour objectif de contribuer au mieux-être d'un sous-groupe négligé de la communauté. Les élèves doivent absolument compter sur leurs propres ressources. » À première vue, le projet de Maryse collait tout à fait. Pourquoi ne pas en profiter ? L'idée de travailler avec cette fille ne l'emballait pas particulièrement, mais peut-être l'avait-il mal jugée.

Deuxièmement. Il annoncerait formellement à son père qu'il n'irait pas faire le guignol dans une entreprise en plein été. Il s'inscrirait au stage de perfectionnement en techniques de cirque. Pour consoler ses parents, il leur offrirait un beau diplôme avec mention honorifique.

Troisièmement. Le plus important. Il écrirait à Fanny. Dès ce soir. Demain, jour de la Saint-Valentin, elle saurait qu'il était amoureux d'elle.

* * *

Mylène Berthiaume courut jusqu'à sa case. Elle avait oublié son cahier de maths, l'examen de mi-session avait lieu demain et le prochain autobus s'arrêtait devant le collège dans exactement sept minutes. Si elle le ratait, elle resterait coincée ici pendant une heure.

En tournant l'angle du corridor, elle vit Gabriel Vallée glisser une feuille dans la fente de la case de... Fanny Dubois. Enfin... elle en était presque sûre. Mylène se sentit immédiatement investie d'une mission. Maryse voudrait savoir. C'est certain. Mylène recula de quelques pas, sans faire de bruit, et attendit que Gabriel poursuive sa route. Tant pis pour l'autobus! Mylène sentait que ça valait le coup.

* * *

«On dirait que c'est arrangé avec le gars des vues», songeait Fanny en se dirigeant vers l'entrée des élèves. La Saint-Valentin tombait un jeudi. On ne pouvait pas demander mieux. Gabriel lui avait donné rendez-vous au Café Fou après les cours.

Fanny plongea une main dans son sac, vérifiant, pour la centième fois, que l'exemplaire de *Cyrano* portant une inscription de sa main sur la page de garde était toujours là. «Espèce de nouille! se répéta Fanny. Il y était il y a deux minutes, pourquoi n'y serait-il plus?» Elle entendit soudain un concert de rires qui fit tourner son sang. Maryse et sa gang. Merde ! Cette fille n'aurait pas pu attraper une bronchite ou être frappée par quelque autre calamité juste pour la Saint-Valentin ?

Maryse la dépassa d'un pas vif. Fanny comprit qu'elle était trop prise par sa discussion avec Mylène pour détecter la présence de son ennemie. À moins qu'elle ne soit en panne d'inspiration au chapitre des injures. Maryse tenait une pile de livres et de cahiers dans ses mains. Une feuille échoua sur le sol. À deux pas de Fanny. Comme par hasard. Fanny la cueillit machinalement.

C'était une lettre.

* * *

Fanny avait raté le premier cours. Trop sonnée. Incapable de garder la tête haute, de marcher droit, de respirer normalement, de taire l'orage en elle. Elle avait marché, marché, sans remarquer le froid mordant, le vent sans pitié et l'extraordinaire soleil de février. À la fin de cette heure, un doute fragile, un minuscule espoir s'était frayé un passage. Fanny y avait puisé la force nécessaire pour rentrer au collège.

La lettre n'était pas signée. Fanny avait cru reconnaître la voix de Gabriel. Mais elle pouvait se tromper. Et puis, n'était-il pas écrit : *Plus je te découvre, plus je partage avec toi des heures précieuses, plus je suis totalement, absolument et parfaitement convaincu que je t'aime. Comme un fou. Comme un Cyrano.* Or, l'horaire de Gabriel était congestionné. Tout son temps était compté. Comment aurait-il pu partager tant d'heures précieuses avec Maryse Gagnon ? À moins, bien sûr, qu'il n'ait menti…

Il fallait qu'elle sache. Ces mots tracés à l'encre noire étaient-ils bien de sa main ? Tous les messages que Gabriel et elle s'étaient écrits avaient été tapés sur un clavier. Fanny résolut de ne pas en parler à Gabriel avant d'avoir pu comparer son écriture sur une page ou un cahier.

Elle avait survécu au cours de maths et à celui d'histoire. À l'heure du lunch, Fanny chercha Benoît à la cafétéria. Judith Boisclair lui apprit que Benoît était absent. Ils avaient cours ensemble ce matin-là et il n'y était pas.

— Veux-tu manger avec nous ? offrit Judith.

Fanny accepta. Perdue dans de sombres dédales, elle écoutait distraitement la discussion. Channel Malavoy tentait d'épater la galerie avec les derniers ragots.

—Je te jure ! poursuivait-elle, les yeux rivés sur ceux de Judith qui, visiblement, ne la croyait pas.

—Je ne vois vraiment pas ce que Gabriel Vallée ferait avec Maryse Gagnon, soutenait Judith. Ce gars-là, je le connais depuis toujours. C'est mon deuxième voisin. Et, dans le rang où j'habite, il y a juste six maisons !

Fanny était déjà aux abois.

—Vérifie ! insista Channel. L'information est publique ! Le titre des projets, suivi de la liste des participants, est inscrit au babillard du local des étudiants. Leur truc s'appelle Rêves de cirque. On n'en sait pas plus, sinon qu'à part Maryse et le beau Gabriel il y a l'inévitable Mylène et les deux suiveux, Alexandre et Laurent.

Fanny se leva.

—Je reviens…, parvint-elle à murmurer en s'éclipsant.

Elle fit des efforts héroïques pour ne pas courir. Pour sourire quand même.

Dès qu'elle eut franchi la porte des toilettes, elle se rua dans une cabine, referma la porte et, le front appuyé sur le mur froid, elle pleura. Longtemps.

* * *

Fanny n'eut pas à fouiller dans les notes de Gabriel ni à ouvrir un cahier. Il l'attendait au Café Fou, le nez plongé dans ses notes d'histoire. Fanny jeta un coup d'œil à l'écriture. C'était la même. La lettre était bien de lui. Mais ça, Fanny le savait déjà.

Son cœur bondit malgré tout lorsqu'il leva les yeux vers elle. Il y avait trop de tendresse dans son regard doré. Comment faisait-il pour jouer si bien la comédie ? Fanny n'avait rien préparé. C'était comme un saut dans le vide. Elle était prête à tout risquer. À l'affronter. À hurler sa déception, sa rage, sa peine. Mais voilà que devant lui, brusquement, elle venait de changer d'idée. Il ne saurait rien de sa douleur. Il ne devinerait jamais tout le mal qu'il pouvait lui faire. Parce que malgré la lettre, les mensonges, elle avait l'impression de perdre tous ses moyens dès qu'il posait les yeux sur elle. Elle devait se protéger. Ne pas discuter. Fuir. L'éloigner une fois pour toutes. En finir.

—Il faut que je te parle, improvisa-t-elle d'une voix ferme.

Il parut surpris. Elle en profita pour foncer. Tête baissée.

—Je voulais te l'annoncer avant... Mais j'avais peur de te décevoir... On ne pourra plus se donner rendez-vous et correspondre tous les soirs. C'est devenu... trop compliqué.

La panique sur le visage de Gabriel. Fanny crut perdre pied. Alors, elle relut mentalement la lettre. Elle se souvenait de chaque mot. De chaque coup.

—J'ai rencontré quelqu'un..., poursuivit-elle. C'est tout neuf. Ça me bouffe tout mon temps. Toute mon énergie. C'est normal, au début... d'une passion nouvelle. Il reste presque rien... pour l'amitié...

En débitant ces sottises, Fanny avait concentré son regard sur le menu imprimé en rouge: cappuccino, thé glacé, sorbet à la mandarine...

Elle n'avait plus besoin de parler.

Il s'était levé. Il était parti.

* * *

Pour la première fois depuis des semaines, non... des mois, Gabriel Vallée laissa ses chaussures de course dans la penderie du vestibule. Il lui semblait qu'il n'aurait plus jamais la force d'avaler un cinq cents mètres. Plus jamais la force de sauter assez haut pour faire des vrilles.

Elle avait lu sa lettre. Et elle avait pris peur.

Il ne voyait pas d'autres explications.

Fanny Dubois était une bête encore plus sauvage qu'il ne l'imaginait. Encore plus féroce, encore plus impitoyable.

«Il faut que je l'oublie. Ça ne marchera jamais», se répétait-il.

Mais il n'en croyait pas un mot.

Février bat des records de froid.
Et ma vie, des records d'échecs.

Chère Poutine,

Je suis arrivée chez Benoît en larmes.
Il était au lit avec une grippe carabinée.
Le pauvre !

Je lui ai tout raconté de travers. Il a
fallu que je m'y reprenne à trois fois
avant qu'il comprenne. Alors, le front
encore brûlant de fièvre, il m'a ouvert
les bras. J'ai grimpé dans son lit. Les res-
sorts ont gémi. Sa mère était dans la
pièce à côté. Je me demandais ce qu'elle
pouvait penser.

Je me suis allongée contre mon ami. J'ai calé ma tête au creux de son épaule et j'ai pleuré, pleuré. À la fin, j'ai dû tomber endormie. Benoît dormait lui aussi quand sa mère m'a réveillée. Elle avait un drôle d'air. Pas fâché. Mais ému. J'ai bien peur qu'elle n'imagine quelque chose d'un peu trop romantique entre Benoît et moi.

Misère !

Fanny

P.-S. : Pour que tu comprennes : Tarzan a écrit la plus belle lettre d'amour du monde. À Maryse Gagnon.

Mars, maintenant
Pour ce que ça change !

Chère Poutine,

Les jours traînent en longueur. L'horreur. J'ai autant d'énergie et d'allant qu'une sauterelle sans pattes ni ailes.

Hier encore, j'ai croisé Gabriel avec Maryse Gagnon. Bras dessus, bras dessous. Mignons comme tout !

Benoît est complètement rétabli. C'était bien pire qu'une grippe. Bronchite, infection, complications. Il a perdu quatre kilos, et ça lui va vraiment bien. Je lui ai recommandé d'arrêter de bouffer des cochonneries. Moins rond, t'es bien plus beau. Voilà ce que je lui ai dit.

La gaffe! Il a sauté sur l'occasion. Qui suis-je pour parler? Moi qui jure contre la beauté et qui me laisse aller! C'est vrai que, dernièrement… J'ai tellement le goût de rien que j'en oublie de me laver la tête. De me brosser les ongles. De nettoyer mes vêtements. Fanny-la-dégoûtante! Pour ce que ça change!

Hier, Benoît s'est fâché. J'aurais voulu être là, qu'il a dit. Ton histoire de lettre, j'y crois pas. Gabriel Vallée et Maryse Gagnon? Impossible!

Moi: Ah oui? Et pourquoi? La belle fille + le beau gars = un couple parfait. Non?

Benoît: Non! Je peux pas t'expliquer, Fanny. C'est de l'intuition. Mon pif! Rien que ça. Moi, je lui ferais confiance, à ton beau Gabriel. Maryse… je la connais!

Ah bon! C'était nouveau, ça.

J'ai attendu. Attendu…

Moi: Benoît!

Benoît: Quoi?

Moi: Pourquoi as-tu dit que tu la connais?

Il a un peu hésité. Mais mon regard assassin a eu raison de ses réticences et, quelques minutes plus tard, le chat –

pardonne-moi, ma belle Poutine ! – est sorti du sac.

Écoute bien ! C'est une histoire… hallucinante !

Benoît a fréquenté le camp Beauséjour, lui aussi, mais un an après moi. Maryse y séjournait encore. Elle y passait même tout l'été. Semaine après semaine. Les campeurs changeaient, les moniteurs aussi parfois, Maryse restait. Sa mère était complètement abrutie par l'alcool et son père par le travail. C'est du moins ce qu'il racontait à sa fille.

Benoît n'était pas vraiment copain avec Maryse. Il était ami avec un peu tout le monde. Et, surtout, avec un certain Jérôme. C'est cet été-là que Benoît a fini par s'avouer qu'il était différent. Depuis toujours. Il aimait les garçons… Mais ça, c'est une autre histoire.

Maryse était populaire. Elle riait fort, parlait fort et avait une opinion sur tout. Un jour, elle a envoyé promener la fille du proprio. Jessica Delage ! Elles ont piqué une chicane monstre, et Maryse s'est déchaînée. Elle a traité Jessica de tous les noms. Le pire, selon Benoît, c'est que Maryse avait un peu beaucoup raison. Cette Jessica était une teigne. Elle passait son temps à se vanter: mon père ci, ma mère ça... Plus chipie, tu vomis !

Selon mon ami Benoît-le-psy, Maryse s'est enflammée parce que Jessica l'agressait dans ce qu'il appelle sa zone vitale. Il croit que Maryse a « mal à ses parents ». Depuis longtemps. Et Jessica n'arrêtait pas de raconter comment elle était gâtée par les siens. Ce jour-là, elle a dû dire un mot de trop. Le verre a débordé. Maryse a explosé.

Après l'engueulade, Jessica Delage a banni Maryse Gagnon de sa vie comme de son vaste réseau d'amis. Elle y a mis tout son cœur, toute son énergie. Du jour au lendemain, Maryse s'est retrouvée seule. Écrasée, humiliée et victime d'une foule de petites méchancetés.

Ça te rappelle quelque chose ?

Je me suis empressée de dire à Benoît que je n'avais aucune pitié pour Maryse Gagnon. Et que sa petite histoire n'expliquait pas pourquoi Maryse s'en prenait autant à moi.

Benoît a ri. Je l'aurais tué !

— Tu te vois pas, Fanny ! s'est-il exclamé. Et t'as pas vu la Maryse Gagnon que j'ai connue, moi, cet été-là... Toi, Fanny, t'as toujours l'air forte, même quand ça va mal. Même quand en dedans de toi tout s'effondre. J'ai appris à te connaître… Mais Maryse s'imagine sûrement que t'es faite en béton. Parce que c'est l'image que tu projettes. Et ça la tue parce que, elle, elle est faible. De bord en bord. Il y a deux ans, elle s'est laissé démolir par Jessica Delage. Elle ne gardait pas la tête haute comme toi. Elle rampait. Je l'aime pas cette fille-là, mais je peux t'assurer qu'elle faisait vraiment pitié.

J'essayais d'imaginer la scène. Maryse écrasée par Jessica. Et les autres qui entraient dans le jeu. Qui n'osaient pas se révolter. Sans doute par crainte d'être rejetés à leur tour. Chacun sauve sa peau…

Cyrano n'a pas besoin de protecteur. Et je voudrais tellement être comme lui. Mais parfois je rêve à un preux chevalier. Une sorte de Robin des Bois juste pour moi. Quelqu'un qui dénonce publiquement Maryse, qui clame haut et fort ce que plusieurs pensent tout bas. Il se lèverait, digne et droit. Il attraperait Maryse Gagnon par le chignon et il dirait : Ça suffit ! T'arrêtes d'empoisonner la vie de Fanny. Compris ?

Le drame, ma Poutine, c'est que, dans la vraie vie, les beaux chevaliers tombent amoureux des filles comme Maryse Gagnon.

Ta Fanny-pas-si-forte

Chapitre 9

Thierry surveillait chaque mouvement. Double vrille inversée. Trop lent... Salto arrière. Décousu... Rétablissement. Raté !

Gabriel atterrit brutalement sur le matelas.

—Ça suffit pour aujourd'hui, déclara Thierry.

—Non ! protesta Gabriel en lançant rageusement la serviette avec laquelle il épongeait la sueur sur son cou.

Les yeux de Thierry s'arrondirent. Il s'était habitué à un jeune athlète docile et performant.

—Qu'est-ce qui t'arrive, Gab ? demanda-t-il, alarmé.

—Tout le monde peut avoir des mauvaises journées...

—Des mauvaises semaines, plutôt! T'es pas là, Gabriel. Ton corps ne suit pas parce que ta tête est ailleurs. Si ça continue, tu vas te casser le cou. Écoute… J'y ai repensé… J'aimerais mieux qu'on attende un peu avant d'inscrire la triple vrille à ta routine.

—C'est toi le boss! répliqua Gabriel.

Le ton était neutre. En apparence, Gabriel Vallée était redevenu l'élève sage et conciliant. Mais Thierry n'était pas dupe. Son jeune ami n'en menait pas large. Il n'était pas seulement déçu: il était malheureux. Depuis des semaines, déjà, Gabriel dissimulait une douleur secrète. Comme un grand fauve blessé, il cherchait l'ombre pour souffrir en paix.

Gabriel ne s'était pas ouvert à lui, mais Thierry soupçonnait qu'une fille était à l'origine de tout ça. Fanny. En quelques jours, elle avait ensorcelé Bruno et Jacob. Gabriel Vallée s'était lui aussi laissé envoûter. Mais, depuis, il y avait eu un drame. Thierry en était presque sûr.

—Quand un homme souffre autant… c'est pour une femme, dit-il à Minnie après lui avoir confié ses craintes.

—Tu as sans doute raison, répliqua la jeune femme en caressant amoureusement le dos de son époux. Mais dis-toi bien, mon beau chéri, que la pauvre Fanny n'en mène pas large, elle non plus.

* * *

Fanny inspira un grand coup et attendit quelques secondes pour reprendre son souffle avant de pousser la porte de la classe. À la fin du cours de français, elle avait senti des crampes violentes lui scier le ventre. Ses règles n'étaient pourtant pas prévues avant cinq ou six jours. « C'est pas étonnant, rumina-t-elle. Tout va de travers. J'ai la tête toute croche, le cœur en bouillie et, maintenant, les ovaires de travers. » Chaque matin, elle avait l'impression d'être un peu plus seule, un peu plus triste, un peu plus perdue.

Gisèle Bérubé, la prof de sciences morales, avait déjà commencé à donner son cours. Fanny savait que, dans quelques secondes, tous les regards se tourneraient vers elle. Et elle redoutait ce moment.

—Respect, générosité, intégrité. Ce sont trois valeurs essentielles, récitait

Gisèle Bérubé au moment où Fanny fit son entrée.

Fanny déposa le billet motivant son retard sur le pupitre de l'enseignante. « C'est con. Archi-con », songeait-elle. Elle avait couru pour obtenir de la monnaie afin de faire cracher un paquet de tampons à la distributrice installée dans les toilettes des filles, couru pour obtenir le billet excusant son retard, couru pour retourner en classe. Lasse et d'humeur massacrante, elle n'aspirait plus qu'à s'écraser sur son siège.

Fanny longea la première rangée de pupitres en visant une place libre tout au bout. Son regard croisa celui de Maryse Gagnon. Que de haine ! Fanny n'avait pas remarqué que sa chère ennemie avait élu domicile dans la première rangée. Elle s'efforça de masquer son trouble et continua d'avancer. Soudain, une douleur aiguë lui vrilla une côte. Fanny ne put retenir un cri. Tous les regards se tournèrent vers elle. Trop vite. Maryse n'eut pas le temps de dissimuler le porte-mine dont elle s'était servie pour piquer Fanny.

Gisèle Bérubé croisa les bras en mordillant sa lèvre supérieure. Elle aussi avait tout vu. Maryse Gagnon soutenait le regard de l'enseignante avec défi. On aurait entendu une puce sauter. La prof de morale hésita. Ouvrit la bouche. Renonça. Elle traînait de la patte depuis des semaines. Se sentait de plus en plus au bord de l'épuisement. N'avait pas envie de vivre un drame. Maryse Gagnon semblait prête à tout pour ne pas perdre la face. Et Fanny Dubois ne réclamait rien. Elle avait seulement l'air démolie.

—Je disais donc que le respect, la générosité et l'intégrité composent un trio de valeurs essentielles à l'humanité, poursuivit Gisèle Bérubé d'une voix atone.

* * *

—Bien! déclara Thierry alors que Gabriel terminait une routine facile avec un rétablissement impeccable.

—Génial! s'écria Maryse Gagnon.

Pendant que le jeune athlète répétait l'enchaînement de sauts et de vrilles qu'il proposait d'intégrer à leur «spectacle pour vieux décrépits», comme l'appelait secrètement Maryse, elle avait eu tout le temps d'admirer le corps de Gabriel Vallée. Les longs muscles de ses cuisses saillant sous le survêtement, ses bras et ses épaules qui se sculptaient au gré des mouvements, son ventre dur, son torse...

Maryse s'efforça de sourire en s'approchant de Gabriel. Elle aurait tout donné pour qu'il pose sur elle le regard qu'il avait eu pour Fanny lorsqu'ils l'avaient croisée dans le corridor quelques jours plus tôt. Gabriel Vallée aimait Fanny Dubois. Maryse en était sûre maintenant. Et cette horrible vérité fouettait son ressentiment, attisait sa haine. « C'est TROP injuste, songeait-elle en contemplant le jeune athlète. Mais attention! La partie n'est pas finie. M'entends-tu, Fanny Dubois? Je n'ai pas dit mon dernier mot. »

— Tu penses que ça va aller? demanda Gabriel.

— Mets-en! lança Maryse en riant. Les... personnes âgées vont a-do-rer!

Gabriel esquissa un petit sourire triste. D'habitude, les séances d'entraînement le dynamisaient. Mais, aujourd'hui, il se sentait complètement vidé. Ce matin encore, il l'avait vue. Fanny l'épouvantail! Le regard dur, la tête haute, fonçant droit devant. Peut-être s'était-il trompé. Peut-être avait-elle réellement rencontré quelqu'un. Il avait imaginé une bête aux abois multipliant les coups de griffes pour se protéger. Mais c'était peut-être un vrai fauve. Une fille sans pitié. Fanny Dubois n'était peut-être pas du tout comme il l'avait imaginée.

Maryse avança une main et lui caressa doucement l'avant-bras. Elle le sentit frissonner sous ses doigts. Il lui adressa un petit sourire reconnaissant. Un peu de tendresse lui faisait du bien. Gabriel observa plus attentivement la jeune fille. Maryse Gagnon était plus que jolie. Elle était séduisante.

—Si on allait marcher ? proposa Maryse en effleurant du bout des doigts son torse nu.

Gabriel rougit. Elle se rapprocha encore un peu. Juste assez pour que, pendant un bref moment, il sente ses petits seins fermes contre sa poitrine et qu'il soit envahi par son parfum.

* * *

—Bonjour, Fanny !
La mère de Benoît semblait ravie.
—Benoît ! Il y a de la belle visite pour toi…

Fanny remarqua le ton plein de sous-entendus.

— Depuis qu'elle t'a surprise endormie près de moi l'autre jour, maman pense qu'il y a quelque chose entre toi et moi, avoua Benoît lorsqu'ils furent seuls dans sa chambre.

— Elle a raison! C'est vrai qu'il y a quelque chose entre toi et moi, répliqua Fanny en déposant un gros baiser bruyant sur la joue de son ami.

Le geste ne suffit pas à dérider Benoît.

— Qu'est-ce qui se passe? J'étais venue te confier mes problèmes, mais je vois que tu en arraches, toi aussi…, commença Fanny.

— Bof! C'est rien… King Kong est en pleine forme! la rassura Benoît en frappant sa poitrine de ses poings fermés.

Fanny lui offrit une moue boudeuse.

— Moi, je pense plutôt que King Kong ne va pas bien du tout. Arrête de faire le singe, Benoît. Allez, viens… dis-moi tout, l'invita Fanny en tapotant la place à côté d'elle sur le lit.

— L'idée de leur faire de la peine me tue, explosa Benoît quelques minutes plus tard. J'ai les meilleurs parents du monde. Je te jure, Fanny ! Ils sont aimants, attentifs, compréhensifs, ouverts... Et je vais les mettre en miettes le jour où je vais leur annoncer que je suis homosexuel. Savais-tu que maman a une armoire qu'elle appelle son armoire de grand-mère ? Je te jure ! De temps en temps, elle achète un petit lapin au ventre mou ou un bonnet de dentelle avec des cordons de soie et elle le range dedans. Elle voulait quatre enfants, mais il y a eu des complications quand elle a accouché de moi. Ils ont dû l'opérer et, après, elle ne pouvait plus redevenir enceinte...

Fanny l'écoutait, effarée. Accaparée par ses propres problèmes, elle n'avait pas soupçonné le drame de son ami. Benoît le rigolo, si plein de verve, si facilement à l'écoute des autres, se débattait en silence avec ses propres cauchemars. Elle avait cru qu'il vivait sans trop de difficultés son homosexualité, qu'il s'accommodait plutôt bien de sa marginalité. C'était un peu naïf de sa part. Benoît assumait son identité, mais comme Maryse, comme elle aussi, il avait « mal à ses parents ». L'expression ne venait-elle pas de lui ? « J'aurais dû m'en douter », se réprimanda Fanny.

Longtemps encore, elle l'écouta. À la fin, ils restèrent un grand moment silencieux. Benoît prit tendrement la main de Fanny dans la sienne.

—Dis donc… C'est toi qui es venue me voir et tu ne m'as pas encore dit pourquoi…

Fanny n'avait plus envie de parler des méchancetés de Maryse Gagnon, du regard fuyant de Gabriel Vallée, de sa nostalgie de Cyrano…

—Sais-tu ce que je pense? demanda-t-elle.

Benoît secoua la tête.

—Je pense que t'as raison. T'as les meilleurs parents du monde. Et c'est pour ça que tu dois leur dire. Il faut que tu leur fasses confiance. Ils t'aiment, Benoît. Et l'amour, ça fait des miracles. Laisse-les te surprendre. Laisse-les t'aimer comme tu es.

Fanny était surprise par ses propres paroles. L'amour, ça fait des miracles… Sans doute. Mais ça peut aussi tuer à petit feu.

* * *

Maryse repoussa Alexandre du plat de la main. Il avait commencé à l'embrasser et elle avait répondu, moins par goût que par habitude. Et puis, soudain, elle en avait eu assez. Elle n'était pas Roxane. Il n'était pas Cyrano. Ils ne s'aimaient pas. Elle avait tout juste un peu d'amitié pour lui.

—J'ai pas envie ! lança-t-elle, plus durement qu'elle ne l'aurait voulu.

Alexandre haussa les épaules. Au fond, il s'en fichait. Maryse n'avait plus tellement d'emprise sur lui. Il avait de plus en plus de mal à endurer les complots, les commérages et les combats idiots qu'elle orchestrait. Les répétitions étaient devenues pénibles. Le courant ne passait pas entre Cyrano et Roxane. C'était flagrant. Ils avaient du mal à simuler la passion. Quant au fameux projet communautaire, Alexandre n'était pas dupe. Maryse avait voulu attirer Gabriel Vallée dans sa toile. L'y engluer. Or, Alexandre n'avait pas envie de jouer les bouffons de service. Pour tout dire, ce projet l'horripilait.

Récemment, il s'était absenté de l'école. Vilaine grippe. Pendant ces quelques jours, Maryse ne lui avait pas manqué. Il s'était cru rétabli, mais il n'en était plus certain. Une immense fatigue l'envahissait à tout moment.

— Moi non plus, j'ai pas envie, au fond, répliqua-t-il sèchement. Tu m'énerves avec tes humeurs en montagnes russes, Maryse Gagnon. Au cas où t'aurais pas remarqué, je suis pas un moron. Il existe d'autres filles, pas mal moins chiantes. Penses-y !

Maryse n'eut pas le temps de réagir à l'affront. Alexandre l'avait déjà plantée là.

* * *

Benoît reconduisait Fanny à sa case. Ils n'avaient presque plus de temps pour se voir. Minnie avait intensifié les répétitions en prévision de la première. À l'angle des corridors, il les aperçut. Fanny aussi.

Fanny eut un haut-le-corps et, pendant un bref instant, elle fut totalement vulnérable. Mais, presque aussitôt, Fanny-la-brave émergea de l'ombre en brandissant un bouclier. Corps raide, visage fermé. Faussement insensible. Parfaitement imperturbable.

Benoît soupira. « Tête de mule, Fanny Dubois. Vieille orgueilleuse. Arrête ta comédie ! » ruminait-il secrètement.

Maryse babillait. Gabriel l'écoutait, adossé à sa case. La scène aurait été banale si Maryse ne s'était pas tenue aussi près, si elle n'avait pas eu sa main posée sur l'épaule de Gabriel. Le langage des corps était éloquent. C'était écrit en grosses lettres autour d'eux : INTIMITÉ.

Benoît jeta un regard furtif à Fanny. Elle accélérait le pas. À regret, il l'imita.

— Bonjour, Fanny ! Bonjour, Benoît ! lança joyeusement Maryse lorsqu'ils furent à leur hauteur.

Gabriel eut l'impression que son cœur venait de sauter quelques battements. Il aurait voulu avoir la force de détourner immédiatement le regard. De l'ignorer. À chaque rencontre, il avait mal. Il vit s'agiter l'extraordinaire crinière sombre et, malgré lui, il scruta le regard froid.

De toute évidence, il s'était trompé. Cette fille-là n'avait rien à voir avec celle qu'il avait cru connaître.

— Salut, les tourtereaux ! répliqua Fanny en déployant une énergie monstre pour que son ton paraisse léger.

Benoît fulminait. En passant devant les toilettes des gars, il eut une brusque inspiration et poussa Fanny à l'intérieur. Heureusement, ils étaient seuls.

—Ça suffit, Fanny Dubois! M'entends-tu? J'en ai ras le bol de tes simulations. T'as mal? Montre-le. Comment veux-tu qu'il sache que tu l'aimes si tu joues les grandes pincées. Arrête de te déguiser en bloc de glace, et ta vie va peut-être changer.

Fanny explosa à son tour.

—Non, mais t'es aveugle ou quoi? Il faudrait que t'apprennes à reconnaître une scène d'amour quand t'en vois une, monsieur le metteur en scène. Je te l'avais dit. Il aime Maryse Gagnon. C'est un con!

Le dernier mot se perdit, étouffé par des sanglots. Benoît s'approcha et enlaça tendrement son amie.

—C'est juste avec toi que je peux pleurer, Benoît, souffla Fanny. Les autres ne méritent pas mes larmes…

—Peut-être que tu te trompes, Fanny, suggéra Benoît de sa voix la plus douce. Essaie… Juste pour voir… Enlève ton masque. Ose montrer que t'es pas si forte. T'as pas vu comment il te regardait? À mon avis, t'as raison. C'est un con! La preuve? Il t'aime encore.

Des bouffées de presque
printemps
Qui ne m'atteignent pas

Ma belle Poutine,

Je n'ose même plus attribuer une
cote à mes journées. Le score est trop
désastreux.

Hier, en me couchant, j'ai fait le sou-
hait de ne pas me réveiller. Et ce matin,
en ouvrant les yeux, j'ai pleuré.

Maman est inquiète. Elle ne sort
presque plus. Elle se prend pour un ange
gardien. Elle veille sur moi.

Comme si j'allais me suicider !
Voyons donc. Pas question. Je tiens le

coup. Juste pour faire chier Maryse Gagnon.

> Fanny-l'affreuse (c'est comme ça que je me sens!)

P.-S.: Il existe quand même une certaine justice en ce monde. La preuve? Maryse Gagnon a attrapé un vilain virus (gnan gnan gnan gnan ben bon ben bon). Elle s'est absentée quatre jours. Mais les vacances sont finies. Hier, elle est revenue.

Chapitre 10

Fanny longea le mur de la cafétéria. Elle aurait voulu se métamorphoser en ombre. Non. Disparaître. Longtemps. Toujours… Jamais auparavant elle ne s'était sentie aussi seule, aussi moche, aussi perdue.

Pour rien. Pour tout. Parce que, à la longue, c'était trop. Trop de complots, trop de méchancetés. Trop de jours à serrer les dents. Trop de vide en dedans.

Comme pour faire exprès, Benoît avait une réunion avec Minnie ce midi-là, et Judith s'était absentée quelques jours pour participer au tournage de la série dans laquelle elle avait décroché un rôle. Il y avait bien des chaises libres ici et là, mais Fanny n'osait pas s'asseoir. Elle redoutait les coups bas. Il lui semblait soudain que Maryse avait des complices partout. Elle ne pouvait courir le risque. Son moral était trop à plat. Il aurait suffi d'un mot, d'un geste pour qu'elle s'effondre.

Il lui fallut puiser dans ses dernières réserves d'amour-propre pour garder la tête haute, le corps droit et avancer d'un pas faussement nonchalant. Sitôt franchi le seuil de la cafétéria, Fanny fonça vers les toilettes. Elle avait honte d'être seule, honte d'avoir autant d'ennemis, honte de se sentir comme un déchet.

Elle poussa la porte d'une cabine, baissa le siège, s'assit. « Le théâtre, c'est pas juste pour la scène », songea-t-elle. Alors elle s'imagina sur un grand canapé plutôt que dans cette cabine infecte et entreprit de déballer son repas. Au moment où elle allait mordre dans son sandwich au thon, son regard s'immobilisa sur des graffitis gravés sur la porte à quelques centimètres de son nez :

Fuck Fanny
Putin

* * *

Bruno dirigeait l'opération, assisté par Jacob. Il avait fait jurer à Fanny de garder les yeux fermés. De temps en temps, Fanny relevait une paupière, histoire de s'assurer qu'il ne se passait rien de trop désastreux. Cuillère en main – Fanny avait formellement interdit l'utilisation de couteaux –, Bruno et Jacob s'activaient avec une joie évidente.

—C'est prêt ! annonça finalement Jacob.

—Ouvre pas les yeux tout de suite, l'avertit Bruno. La surprise s'en vient…

Fanny entrouvrit quand même une paupière, vit des éléments de sa « surprise » échouer sur le sol et retourner aussitôt à l'assiette.

—O.K. Tu peux regarder ! annonça Jacob, triomphant.

Chacun des gamins tenait un bout du plateau. Au centre trônait leur chef-d'œuvre : le fameux sandwich-magique-qui-console. Bruno en avait eu l'idée après avoir fait avouer à sa gardienne qu'elle avait bel et bien une grosse peine.

Fanny planta les dents dans le mets monstrueux. En mastiquant lentement, elle reconnut quelques ingrédients :

beurre d'arachide, mayonnaise, corni-
chons, fromage, salami, confiture de
fraises... Elle leva courageusement les
yeux vers les deux petits garçons et parvint à sourire. Ils l'épiaient d'un air
grave. Elle avala difficilement sa première bouchée. Non pas à cause de
l'extraordinaire réunion d'ingrédients,
mais parce qu'elle était profondément
émue par les visages fervents de ses deux
jeunes prétendants.

Fanny prit une inspiration profonde,
chassant les larmes, ravalant la balle de
ping-pong logée dans son œsophage.
Elle mordit de nouveau dans le sandwich magique, avala gloutonnement,
poussa un grand soupir d'aise et déclara,
le plus sérieusement du monde :

—Ça y est ! Je suis guérie. Ma peine
est partie.

Bruno et Jacob applaudirent sauva-
gement. Fanny décida qu'il était grand
temps de les mettre au lit. Sinon, elle
allait éclater. Sinon, elle allait pleurer.

* * *

La lourde porte de chêne claqua.
Assise derrière l'îlot de marbre dans la
vaste cuisine ensoleillée, Solange Vallée

se recoiffa d'une main nerveuse. Les muffins aux bleuets devant elle étaient encore fumants. Gabriel serait content. Un homme, ça s'attrape par l'estomac. Solange Vallée avait appris cette maxime de sa mère. Et elle savait l'appliquer efficacement. Aujourd'hui, elle s'était promis d'amadouer Gabriel avant l'arrivée de son père. Le temps était à l'orage. La guerre fomentait entre ces deux-là.

—Comment s'est passée votre réunion pour le projet communautaire ? C'était bien ça, la réunion, non ?

—Correct, répondit mollement Gabriel.

—Je suis fière que tu t'impliques, mon grand. Ça peut te mériter une mention honorifique, non ?

Gabriel hocha la tête. Il n'était pas sûr que le spectacle concocté par Maryse mérite une telle distinction. Il avait dû insister pour voir ce que Laurent, Alexandre et Mylène préparaient. Ridicule ! Les deux clowns auraient eu du mal à faire rire des enfants de garderie. Et le numéro de Mylène avec son chien constituait une tromperie. Elle avait emprunté un caniche de concours à une voisine. Non seulement le chien lui obéissait-il mal, mais Gabriel savait que de tels procédés étaient illégaux. C'était écrit en toutes lettres dans l'agenda scolaire : *Les élèves doivent absolument compter sur leurs propres ressources.* Maryse avait tenté de le rassurer en faisant valoir que les numéros n'étaient pas au point, mais Gabriel éprouvait un véritable malaise.

—Ce qui est bien, poursuivait Solange, c'est que vous vous adressiez à des groupes négligés de la communauté. Avez-vous décidé dans quels foyers vous présenterez le spectacle ?

Maryse avait promis plusieurs représentations, mais, à ce jour, une seule institution était au programme.

—La résidence Bossé, répondit Gabriel.

Solange pouffa.

—Pourquoi ris-tu ? demanda Gabriel, irrité.

—Eh bien… Disons que les vieillards logeant dans ce foyer ne sont pas tout à fait ce que j'appellerais des personnes négligées de notre société. C'est une des résidences pour personnes âgées les plus huppées du Québec. Ces gens-là sont assez riches pour inviter n'importe quels artistes.

Gabriel chiffonna le papier de son muffin et quitta la table sans dire un mot. Solange n'eut même pas le temps de le mettre au courant. La veille, Serge avait finalisé les arrangements avec Germain Dion. Gabriel passerait le mois de juillet à découvrir les différents services de Dion Électronique.

* * *

Alexandre était encore malade. Benoît donna la réplique à Maryse-Roxane tout au long de la répétition. Maryse détestait travailler avec lui. Le fiffe, comme elle l'appelait, était toujours parfaitement gentil, mais elle avait l'impression de l'entendre penser. De l'entendre répéter :

— Je t'ai vue ramper, Maryse Gagnon. Je sais que tu fais dur, au fond.

Dès que Minnie les eut libérés, Maryse se rua vers la sortie. Non seulement la répétition avait-elle été pénible avec ce Benoît-Cyrano, mais elle-même souffrait d'une affreuse migraine. Toute la journée, elle s'était sentie frileuse et légèrement étourdie. Cet imbécile d'Alexandre lui avait refilé une mauvaise grippe dont elle n'arrivait pas à se débarrasser.

Elle-même n'avait malheureusement infecté personne. Quelques jours plus tôt, Gabriel l'avait invitée à marcher avec lui le long de la rivière. Au moment où ils s'étaient quittés, elle avait préparé une mise en scène parfaite pour qu'il l'embrasse. L'idiot s'était contenté d'un chaste baiser. Un gros *smack*! sur la joue droite. Mais le plus décevant, c'est qu'elle avait eu la sensation de passer un examen. Et d'échouer. Comme si, plus il la connaissait, moins Gabriel avait envie de vivre une plus grande intimité avec elle. Il tolérait ses gestes d'affection mais n'en initiait aucun.

Maryse poussa la lourde porte du collège. Il pleuvait à verse. Quelques voitures attendaient. Des parents soucieux d'éviter à leur ado de se noyer dans toute cette eau. Maryse se sentit brusquement découragée. Elle fouilla dans sa poche. Comme toujours elle avait assez d'argent pour prendre un taxi, voire une limousine. Mais ce dont elle avait envie, plus que tout, c'était une mère ou un père normal qui l'attendrait patiemment dans n'importe quelle sacrée voiture.

* * *

La pauvre Minnie était profondément déçue. Jamais spectacle de fin d'année ne l'avait si peu enthousiasmée. Elle avait demandé à Judith d'assister aux deux dernières répétitions.

— Tu me donneras ton opinion. Toute suggestion sera appréciée, avait lancé la prof de théâtre.

La plupart des jeunes comédiens étaient déjà partis. Judith était restée sur son siège, pensive. Depuis qu'elle participait au tournage de la série télévisée, elle voyait d'un autre œil les grenouillages, les tiraillements et les drames qui agitaient les élèves de l'école. C'était comme si elle avait changé de lunettes. Tout lui semblait plus clair. Elle avait du mal à imaginer que Maryse Gagnon ait pu l'intimider quelques mois plus tôt. Tout comme elle avait du mal à accepter que Gabriel Vallée et Fanny Dubois continuent de s'ignorer. « Ces deux-là sont malheureux. Et la raison crève les yeux », songeait Judith.

— Qu'en penses-tu ? demanda Benoît en s'installant à ses côtés.

— T'as raison ! On peut difficilement améliorer le jeu dramatique. Cyrano a du mal à blairer Roxane et vice-versa. Ça jette un froid. Tous les comédiens s'en ressentent. Ta proposition mérite qu'on s'y attarde. Au lieu de miser sur les émotions, on peut tenter de dynamiser le jeu.

— J'embarque, moi aussi, déclara Minnie. À défaut d'un Cyrano romantique, qu'on en ait un énergique. Je peux demander à Thierry d'enseigner quelques trucs à Cyrano et à deux ou trois de ses compagnons de Gascogne. Laurent embarquerait. Il s'ennuie dans son rôle de Christian. Mais il faut faire vite. Le temps file…

Benoît et Judith quittèrent la salle de répétition ensemble. Une belle camaraderie s'installait entre eux.

— As-tu le goût de faire un arrêt au Café Fou ? proposa Benoît.

— J'attendais justement que tu m'invites…

* * *

Assis devant l'écran de son ordinateur, Gabriel tapait fiévreusement :

Chère Fanny,
Est-ce possible ?
Tout cela n'est-il qu'un vaste malentendu ?

Si ce que j'ai entendu est vrai, je comprends ta colère.

Tu ne m'avais rien dit. Pourquoi?

Je pensais être amoureux d'une fille qui n'existe pas ou qui n'existe plus, mais depuis tout à l'heure j'ai repris espoir.

Ce matin, j'étudiais mon examen d'histoire à la bibliothèque. Judith Boisclair travaillait de l'autre côté. On s'était salués. Maryse me cherchait. Je l'ai aperçue de loin, mais je n'ai rien fait pour qu'elle me repère. Elle m'aurait quand même trouvé – elle faisait le tour de toutes les tables! – mais Judith l'a interceptée.

Leur conversation m'a jeté par terre, Fanny. Est-ce vrai? Pourquoi m'as-tu tout caché?

Judith a dû attraper Maryse par le bras au moment où celle-ci passait près d'elle parce que j'ai entendu Maryse se défendre. « Lâche-moi... Tu me fais mal! » Ou quelque chose du genre.

Je ne sais pas ce qu'a fait Judith, mais Maryse s'est tue. Elle s'est assise. Et elle l'a écoutée. Judith a parlé longtemps. Les mots sont restés gravés dans ma mémoire.

Elle a dit qu'elle savait tout, malgré ses nombreuses absences à cause de la série télévisée. Elle savait tout des graffitis, des insultes, des coups montés. « T'es un vrai boa, Maryse Gagnon. Qui s'enroule autour de sa proie et qui serre et serre jusqu'à ce que l'autre meure d'étouffement. Mais je te laisserai pas faire.» Judith l'a avertie que d'autres élèves pensaient comme elle. Qu'elle devait se tenir tranquille. Lâcher Fanny Dubois. Sinon... Judith n'a pas précisé la menace, mais elle avait l'air drôlement déterminée.

Moi, quand j'ai entendu ton nom, j'ai cru halluciner. C'était un choc. Je te jure. Je n'avais rien deviné.

Pardonne-moi, Fanny.

Parle-moi, Fanny. Écris-moi, Fanny.

Vis-tu vraiment une passion qui te bouffe tout ton temps? Si ce n'est qu'une invention, dis-le-moi, je t'en supplie.

Tarzan

* * *

Maryse avait appris, pour Alexandre. Il lui avait téléphoné la veille. Aussitôt, elle avait informé son père, qui avait prié sa secrétaire de prendre rendez-vous pour sa fille à la Clinique Leacock dans les vingt-quatre heures. Service express, résultats garantis le jour même. Mais, au fond, Maryse connaissait déjà le verdict.

Les prises de sang lui semblaient super-flues.

La cafétéria était bruyante. Les bras chargés d'un plateau, Maryse cherchait où s'asseoir. Mylène lui adressait de grands signes, mais elle n'avait pas envie de manger sa frite sauce devant cette teigne. Les jours 6, quand Gabriel Vallée n'avait pas de match à disputer à l'heure du lunch, il lui arrivait de se pointer le bout du nez à la cafétéria. Maryse balaya encore une fois la salle du regard. Ce devait être un jour de match.

Judith Boisclair était en grande conversation avec Benoît-la-tapette devant le comptoir où les élèves faisaient la file pour garnir leur hamburger de ketchup ou de moutarde. Une bouffée de rage submergea Maryse. Au même moment, elle vit Fanny se diriger vers une table où elle avait laissé son cartable.

Aussitôt, Maryse eut l'idée d'une petite vengeance qui apaiserait un peu sa haine. Rien de compliqué. Personne ne remarquerait quoi que ce soit.

Gabriel venait lui aussi de repérer le cartable. Il allait traverser la cafétéria pour attendre Fanny là-bas lorsqu'il aperçut Maryse Gagnon. Elle semblait viser la même destination.

D'instinct, Gabriel s'immobilisa.

À la hauteur du banc que Fanny avait choisi, Maryse ralentit, piqua sa fourchette dans le plat fumant sur son plateau, vérifia que personne ne l'observait et laissa tomber une masse gluante sur le siège.

Gabriel eut l'impression d'un grand fracas. L'éruption d'un volcan quelque part en lui. Il aurait voulu tout à la fois courir vers Fanny pour l'avertir et foncer sur Maryse pour l'égorger. Au même moment, une bagarre éclata à deux pas de lui. Steve Michaud et Vu Tran semblaient prêts à s'arracher les yeux. Le temps de les contourner et de se frayer un chemin parmi les supporters, Gabriel vit Fanny s'écraser sur son siège.

Fanny ressentit d'abord la brûlure. Cuisante. Aussitôt, elle fut debout. Elle avait réussi à étouffer le cri de douleur. D'une main, elle tenta de se débarrasser de la nourriture poisseuse collée à son pantalon. Déjà, quelqu'un se moquait.

—As-tu chié dans tes culottes, cou'donc ?

Fanny déglutit. Elle n'avait plus d'énergie pour la colère. En promenant un regard autour d'elle, elle l'aperçut.

Maryse Gagnon. Encore.

Ce fut comme une marée. Une vague de désespoir qui l'enveloppa tout entière. Fanny sentait qu'il n'y avait pas d'issue. Elle n'arrivait plus à simuler la dignité, à étouffer la honte. Des larmes déboulaient sur ses joues. Elle tendit un bras vers son cartable et réalisa soudain que la cafétéria était presque silencieuse. Finis les cris, les rires, les bousculades. Tous les regards étaient-ils vissés sur elle ?

Fanny recula.

Gabriel Vallée venait de plaquer Maryse Gagnon contre un mur. Elle le dévisageait, terrifiée, pendant qu'il hurlait :

— T'es une salope, Maryse Gagnon ! Une fille infecte. Répugnante. Je suis vraiment con de m'être laissé manipuler par toi. Je ne veux plus jamais te voir rôder autour de moi. As-tu compris ? Fiche le camp de ma vie ! Et si jamais tu lèves encore le moindre petit doigt... Si jamais tu adresses le moindre petit mot à Fanny Dubois, je t'écrase ! AS-TU COMPRIS ? M'ENTENDS-TU ?

Les veines saillaient sur ses tempes et dans son cou. Les jointures de ses poings étaient blanches. Il relâcha Maryse. Toute pâle, toute molle. Une poupée de chiffon.

Gabriel ne remarqua même pas les applaudissements dans son dos. Une crinière sombre venait de disparaître dans le corridor.

Il courut.

— Fanny ! Attends !

Elle s'arrêta, se retourna.

Gabriel sentit son ventre se nouer en contemplant le visage inondé de larmes sous la fabuleuse masse de cheveux épars. Malgré les sanglots qui secouaient ses épaules, malgré la détresse qui la dévorait, Fanny parvint à relever la tête.

— Je veux pas de ta pitié, Gabriel Vallée. Va jouer à Tarzan ailleurs. J'ai pas besoin de protecteur. Fiche-moi la paix ! Va-t'en !

Il semblait décidé à rester là. Alors, ce fut elle qui déguerpit.

Le ciel est rempli d'éclairs
Et moi aussi

Chère Poutine,

Je me sens presque coupable. Si tu savais le nombre de fois que j'ai souhaité toutes sortes d'atrocités à Maryse Gagnon… Eh bien! c'est arrivé!

Hier, Gabriel Vallée l'a presque tuée – j'exagère à peine, je te jure! – devant tout le monde. Gabriel, mon sauveur… C'était comme dans mes rêves les plus fous. Tarzan volant à mon secours.

Mais ne t'inquiète pas: je ne me suis pas laissé impressionner. J'ai appris à me protéger! Il ne faut pas faire confiance aux hommes, tu sais. Ils finissent toujours par nous mettre en miettes. Regarde maman... Regarde-moi... Gabriel a été témoin de la dernière saloperie de Maryse. Et il s'est fâché noir. C'est tout. Au fond, ça ne change rien. Qui dit que, dans quelques jours, il ne se laissera pas de nouveau emberlificoter par elle ? Entre une blonde beauté comme Maryse et une curieuse corneille comme moi, qui choisirais-tu, toi ?

N'empêche que sa tirade de preux chevalier m'a sonnée. Même qu'hier soir, après avoir ruminé tout ça pendant des heures, je me suis sentie mollir. J'avais envie d'ouvrir l'ordinateur et de lui écrire. Comme avant. Ça fait tellement longtemps qu'on ne s'est pas chuchoté des confidences à l'écran. Tellement longtemps que je n'ai pas entendu sa voix dans ma nuit.

Avec tout ça, je ne t'ai pas encore énuméré toutes les misères qui frappent ma pire ennemie. MONONUCLÉOSE ! Et son beau Alexandre aussi. C'est pas un hasard. Ce truc, c'est hautement transmissible... par la salive. En gros, c'est une sorte de virus, un peu comme une grippe, mais en dix fois pire. Ça peut durer des mois. Et il n'y a qu'un remède : le repos. Les anglos appellent ça le *kissing disease*. La maladie du baiser. Grand-mère Flo disait qu'on est puni par où l'on a péché. Elle était très catholique…

Mais le pire pour Maryse – et le meilleur pour moi… j'ai presque honte de m'en réjouir –, le pire, donc, c'est qu'elle et Alexandre doivent céder leur place. À moins d'un miracle, ils ne pourront pas jouer dans *Cyrano*. Ils sont condamnés à au moins trois semaines de repos. Et la première a lieu dans douze jours.

Tu devines ? Peut-être pas tout à fait… Minnie m'a demandé de jouer. Non… ne t'emballe pas ! Pas Cyrano. Roxane. Eh oui ! C'est Benoît qui gagne le gros lot. Et il n'y tient même pas. Il sera mon cousin, le grand Cyrano de Bergerac. Il connaît tous les déplacements et toutes les répliques par cœur. Laurent continue de défendre le rôle de Christian, le bellâtre un peu idiot. On commence à répéter demain. Je possède déjà mon rôle sur le bout des doigts, mais j'aurai à travailler vite et fort pour maîtriser la mise en scène.

Allez ! Souhaite-moi bonne chance…

Fanny-Roxane

Les perce-neige s'épanouissent
Et peut-être bien que moi aussi

Ma belle Poutine,

Maintenant que Benoît joue les Cyrano, devine qui a hérité du rôle d'assistant à la mise en scène ? Laisse tomber. Tu ne devineras jamais !

Tarzan !

Oui, oui. Je te jure. Tu te souviens que Benoît rêvait d'un Cyrano hyper énergique ? Du genre cas de Ritalin. Il avait demandé à Thierry, le mari de Minnie qui est aussi le père de mes deux petites puces électriques et l'entraîneur de Tarzan, de l'aider à dynamiser les déplacements d'Alexandre (Cyrano) et de Laurent (Christian). Eh bien ! maintenant, c'est Gabriel qui prend la relève !

Il participe autant qu'il peut aux répétitions. Il a déjà montré à Benoît comment sauter à plusieurs mètres du sol sans se casser le cou et il pense réussir à lui enseigner quelques pirouettes. Parfois, Gabriel monte sur scène et fait la démonstration d'un déplacement – course, saut, bond – devant moi. Tu imagines comment ça m'aide à me concentrer sur mon rôle ?

Hier, pendant que Benoît récitait – *J'ai dix cœurs ; j'ai vingt bras ; il ne peut me suffire de pourfendre des nains…* – et que Gabriel, pour donner l'exemple, traversait la scène en quelques enjambées, je me suis rappelé combien je les aimais. Tous les deux.

Je n'y peux rien. Devant lui, devant tous, j'arrive à cacher mes sentiments, mais à toi, à moi, il faut bien que je l'avoue. J'ai beau y mettre toute ma volonté, toute mon ardeur, toute ma créativité, je n'arrive pas à le détester.

Fanny-la-faible

Chapitre 11

Serge et Solange l'épiaient par la fenêtre du séjour. Gabriel le savait. Et il s'en fichait. Debout sur la table de pique-nique, il répétait, pour son plaisir :

—Mais... chanter.
Rêver, rire, passer, être seul, être libre,
Avoir l'œil qui regarde bien, la voix qui vibre,
Mettre, quand il vous plaît, son feutre de travers,
Pour un oui, pour un non, se battre...

Il sauta comme d'un tremplin, accomplit un salto arrière, atterrit sur les pieds et fit la roue avant d'ajouter :
— ... – ou faire un vers !

Derrière la fenêtre, Solange attira son époux vers elle.

—Je me souviens de t'avoir déjà vu faire des prouesses comme lui. Il y a longtemps… Tu étais moins doué, mais tout aussi énergique, murmura-t-elle, un sourire tendre aux lèvres.

—Ne change pas de sujet! bougonna Serge Vallée. Il refuse le stage que je lui ai organisé, il a quitté l'équipe de soccer en pleine saison de tournoi et il a abandonné son projet de fin d'année. Ses chances d'obtenir la bourse sports-études sont coupées de moitié et…

—C'est vrai, l'interrompit Solange. T'as raison! Mais regarde… Il est heureux!

Heureux? Malheureux? Gabriel ne se posait pas la question. Les vers de Cyrano lui faisaient du bien, l'amitié de Benoît lui faisait du bien, voir Fanny si souvent lui faisait du bien.

La veille, il avait marqué un point. Elle l'avait salué. Poliment? Non… quand même. Un peu plus. Affectueusement? Non… quand même. Un peu moins. Mais Benoît l'encourageait:

—On dirait une furie, pourtant c'est une tendre. Lâche pas, Gab! Tu vas finir par l'amadouer.

En roulant vers l'école, Gabriel se demandait s'il saurait être assez patient. La veille, à l'acte III, scène VII, au moment où Fanny avait lancé d'un seul souffle : *Oui, je tremble, et je pleure, et je t'aime…*, il avait failli sauter sur scène pour remplacer Laurent. Ce dernier défendait assez bien le rôle de Christian, ce bellâtre qui, pour séduire Roxane, devait emprunter ses mots d'amour à Cyrano. Mais, justement, les mots de Cyrano exprimaient parfaitement ce que lui, Gabriel Vallée, ressentait pour Fanny.

La générale avec costumes avait lieu ce soir. Gabriel espérait que Benoît et Laurent sauraient se débrouiller avec le feutre, la lourde cape et les bottes. Il avait lui-même essayé ces éléments de costume pour voir ce que ça changeait. La cape, surtout, compliquait les déplacements. Et le chapeau n'améliorait rien.

* * *

— Tu ne dis rien. Tu te laisses faire ! Compris ? avait déclaré Judith d'un ton sans réplique.

— J'ai le choix ?

La grande « opération beauté » orchestrée par Judith avait d'abord horrifié Fanny. C'était, à première vue, tout ce qu'elle détestait, tout ce contre quoi elle luttait. Et pourtant, à sa grande honte, Fanny avait pris plaisir à l'opération.

Judith était d'abord passée chez elle armée d'un bataillon de bouteilles et de petits pots : shampooing parfumé, mousse aromatisée, pommade, revitalisant… Elle avait longuement lavé, massé, assoupli et lustré son imposante crinière. Puis, elles avaient déménagé à l'école où, dans les toilettes transformées en loges, Judith avait entrepris de la maquiller soigneusement en babillant sans arrêt. C'était comme un baume, l'envers de tout ce que Fanny avait subi pendant l'année. Au lieu de se faire traiter de déchet, elle se faisait bichonner, dorloter, complimenter.

Judith n'en finissait plus de s'extasier.

— C'est un vrai péché, Fanny Dubois. Moi, si j'avais tes yeux, tes lèvres, tes cheveux et ton *body*, je les cacherais pas comme tu le fais. Regarde-toi !

Fanny rougit devant son propre reflet. Elle avait presque envie d'admettre qu'elle était belle.

—Dans dix minutes! cria Minnie.

L'avertissement déclencha des cris affolés, des pas précipités et un concert de froissement de tissu autour d'elles. Judith ne se laissa pas émouvoir.

—La robe, maintenant! Ah non! Enlève-moi cet affreux soutien-gorge.

—T'es folle? J'en ai pas d'autre dans ma poche! se défendit Fanny.

—Enlève-le ou je hurle. Je te demande pas de te promener toute nue. La robe de Roxane a été dessinée avec un décolleté *plongeant*!

Devant l'air terrorisé de Fanny, Judith s'adoucit:

—Fais-moi confiance. Tu vas être magnifique.

Fanny frissonna en enfilant le vêtement. Quelques secondes plus tard, elle entrait dans les coulisses.

Benoît était là, droit devant, maniant sa cape à grands tours de bras. Fanny s'approcha doucement par-derrière.

—Salut, chéri! dit-elle en déposant un petit baiser dans son cou.

Cyrano se retourna. Ce n'était pas Benoît.

Un soir de fin du monde
Et pourtant je suis vivante

Chère Poutine,

Ta Fanny dérape. Perd les pédales. Fait une folle d'elle-même.

Moi, Fanny Dubois, j'ai embrassé Gabriel Vallée.

Triple tarte, va! Nigaude de nouille!

J'aurais dû me méfier. En plongeant le bout du nez dans son cou pour y laisser un petit baiser, j'ai senti le sol s'ouvrir sous mes pieds.

Son odeur! Les muscles de son cou.

J'ai failli mourir quand il s'est retourné.

Mon premier réflexe fut de me sauver. Courir me réfugier dans les bras de Judith.

Gabriel m'a retenue. Et il a murmuré mon nom : Fanny !

Comme si j'étais l'astre autour duquel il tournait. Comme si le bout du monde, c'était moi.

Dis-moi que je suis conne…

J'ai réussi à me défaire de son étreinte. Mais après, tout au long de la répétition, je ne voyais plus Benoît. Dans ma tête, dans mon cœur, Cyrano, c'était lui.

J'étouffe. J'ai mal. Je revis la scène. Je le revois. Je réentends sa voix. C'est le désastre en moi.

Et aussi la fête…

Ta pauvre Fanny perdue

Chapitre 12

—Panique pas, Fanny! l'avait exhortée Benoît en ce soir de première. Gabriel me remplace sur scène pendant une minute. C'est tout. Je serai juste à côté. Caché derrière le banc.

Fanny hocha la tête comme si elle approuvait, mais son anxiété était flagrante.

—On a répété hier soir, poursuivait Benoît. Imagine l'effet! Il va sauter d'une plate-forme à huit mètres du sol, effectuer une sorte de pirouette dont j'oublie le nom, retomber sur ses pieds, se ruer sur De Guiche…

—Ça va, j'ai compris…

—Mais qu'est-ce que ça change, Fanny? De toute façon, t'es dans les coulisses, toi, pendant ce temps-là.

Elle aurait voulu répondre : « Tu sais parfaitement ce que ça change. Et je me demande si tu ne le fais pas exprès, Benoît Lemay. Toi pis tes manigances ! »

Au lieu de ça, elle répondit :

— Rien. T'as raison.

Benoît réprima un sourire. « Rien, mon œil ! songea-t-il. Ça te rend folle de le sentir aussi près, pas vrai ? »

Il contempla son amie avec satisfaction.

— Si j'étais aux filles, je pense que je te trouverais de mon goût, dit-il en haussant les sourcils d'un air suggestif.

— Va te coucher ! répliqua Fanny en rosissant.

* * *

— T'énerve pas, ma chouette. C'est comme la générale… avec cinq cents spectateurs de plus dans la salle ! déclara Judith en riant.

Fanny leva vers elle de grands yeux bleus épouvantés.

— Ça m'enrage ! Je me déteste ! Mais j'y peux rien, Judith. J'ai peur !

Judith lissa du plat de la main la crinière de Fanny.

—C'est correct d'avoir peur. C'est bon d'avoir peur. Mais si ça devient trop *heavy*, pense à Roxane. Concentre-toi sur ton rôle, et tout va retomber en place.

Fanny ferma les yeux. Elle avait longuement discuté de Roxane avec Minnie ces derniers jours.

—*Cyrano*, c'est l'histoire d'un rendez-vous raté avec l'amour, disait Minnie. Cyrano y participe en imaginant son nez comme un cap infranchissable. Et Roxane y participe par son aveuglement. Elle découvre, trop tard, la véritable voix de celui qui l'appelait dans la nuit.

La vraie voix de Minnie venait d'annoncer le lever du rideau dans huit minutes. Fanny inspira un grand coup.

—Je suis prête, lança-t-elle d'une voix de conquérante.

Une cape l'enveloppa.

—Benoît !

Ouf ! C'était bien lui.

—Merde, ma belle !

—Plein de crotte à toi aussi ! répliqua Fanny en pouffant.

* * *

Fanny épiait tout depuis les coulisses. Les comédiens s'étaient entassés pour assister à la scène. Benoît avait mis tout son cœur dans la célèbre tirade du nez, hurlant, criant, rugissant depuis sa cachette sous le banc pendant que Gabriel incarnait le Cyrano le plus fougueux et le plus énergique qui soit.

Au signal – *Voilà ce qu'à peu près, mon cher, vous m'auriez dit* –, comédiens et techniciens retinrent leur souffle. Gabriel venait de disparaître pour grimper sur la plate-forme. Benoît poursuivit:

—*Si vous aviez un peu de lettres et d'esprit :*

Mais d'esprit, ô le plus lamentable des êtres,

Vous n'en eûtes jamais un atome, et de lettres…

Sur ce mot, Gabriel s'élança et, au lieu d'une simple pirouette, il exécuta un double salto pendant que Benoît terminait avec éloquence:

—*…Vous n'avez que les trois qui forment le mot : sot !*

La mise en scène était impeccable. Le corps et la voix se confondaient parfaitement. Gabriel s'était rétabli au sol, souple et triomphant, sous un déluge d'applaudissements.

* * *

—Non, mais, t'es fou ! protesta
Benoît. Tout baigne. Minnie est aux
anges ! C'est pas le temps de gaffer.

Gabriel baissa la tête, visiblement
déçu.

—T'as raison, concéda-t-il finalement. C'était… juste une idée en l'air.
Oublie ça !

—C'est rien qu'une pièce de théâtre,
Gabriel…, voulut le consoler Benoît.
T'es pas Cyrano ni Christian. Et moi
non plus…

—Je sais bien… Mais il me semble
que j'aurais moins de mal à la convaincre devant cinq cents spectateurs
avec les vers d'Edmond Rostand plutôt
que seul avec elle.

—Fanny et toi, vous êtes complètement ridicules ! explosa Benoît. Si vous
continuez à vous ignorer, je vous
enferme tous les deux dans une armoire.
On verra bien ce qui sortira de là.

* * *

Faute d'argent pour d'autres décors,
la scène de nuit du balcon était devenue
une scène de jardin. C'était une des

préférées de Fanny. Benoît le savait. Et il comprenait pourquoi. Caché derrière un bosquet à quelques pas de Laurent, il s'apprêtait à prendre la relève, adressant directement à Roxane les mots d'amour que le pauvre Christian ne savait trouver.

—*Vous ne m'aviez jamais parlé comme cela!* murmura Roxane.

En donnant la réplique à son amie, Benoît prit plaisir à contempler son regard fiévreux, sa crinière bondissante. Fanny donnait tout son poids à chaque mot que livrait Roxane.

Laurent fit quelques pas en maudissant secrètement cette lourde cape dans laquelle il avait failli s'empêtrer.

—*Mais l'esprit?* demandait Roxane, fervente.

Un mouvement en coulisses attira le regard de Laurent. Gabriel était là, tapi dans l'ombre. Ses lèvres murmuraient en même temps que Benoît chacun des mots d'amour que Cyrano offrait à Roxane.

Laurent n'y avait pas réfléchi avant. Il n'avait rien planifié. Il se décida d'un coup.

* * *

Un éclair de panique traversa le regard de Fanny. Pourquoi Benoît répétait-il bêtement : *Mais l'esprit ? Mais l'esprit ?* Et voilà qu'il ajoutait, improvisant comme pour étirer le temps : *Mais l'esprit, madame… Que voulez-vous… Que puis-je dire…*, tout en épiant ce qui se passait dans les coulisses.

Dès qu'il vit Laurent marcher vers lui, Gabriel comprit que le jeune comédien lui cédait sa place. Était-ce par vengeance ou par amitié ? Pour faire enrager Maryse Gagnon ou pour l'aider, lui ? Il n'avait pas le temps d'y penser. Gabriel arracha le feutre et la cape de Christian, enfila les bottes.

Sur scène, Roxane semblait si chavirée que les spectateurs, tout à elle, n'y virent que du feu. Un visage différent s'était pourtant glissé entre le feutre et le manteau de Christian…

Fanny frémit en voyant Christian émerger de coulisses et avancer vers elle. Il n'aurait pas dû disparaître ainsi. Et maintenant, il n'était pas censé s'approcher autant. Cyrano devait continuer à lui donner la réplique avant que Christian s'avance ainsi vers elle.

Fanny étouffa un cri en reconnaissant Gabriel. Mais déjà les mots explosaient dans la bouche du jeune homme.

—*C'est un crime*

Lorsqu'on aime de trop prolonger cette escrime !

Ces paroles résonnaient encore aux oreilles de Fanny lorsqu'elle se rendit compte que c'était à son tour de parler. Alors elle demanda, d'une voix blanche :

—*Eh bien ! si ce moment est venu pour nous deux,*

Quels mots me direz-vous ?

Gabriel aurait dû poursuivre immédiatement. Réciter les vers suivants. Au lieu de cela, il fit les derniers pas jusqu'à Fanny, drapa un pan de sa cape autour de ses épaules frissonnantes et prit tendrement son visage entre ses mains.

Réfugié dans les coulisses depuis que Gabriel avait décidé de s'approprier les vers que lui-même aurait dû livrer, Benoît pestait maintenant à voix basse :

—Non ! Non ! Ne change rien. N'ajoute rien. C'est pas le temps ! Tu vas tout gâcher, espèce d'idiot.

Il sentit une main dans son dos, se retourna. Minnie ! Elle arborait un sourire radieux.

—Tout va bien, le rassura-t-elle, confiante.

Benoît avait appris à réciter les vers suivants avec emportement. D'une voix lente et grave, sans quitter Fanny des yeux, Gabriel les livra avec une ferveur nouvelle :

— *Tous ceux, tous ceux, tous ceux*

Qui me viendront, je vais vous les jeter, en touffe,

Sans les mettre en bouquet : je vous aime, j'étouffe,

Je t'aime, je suis fou, je n'en peux plus, c'est trop…

Sa voix se brisa sur les derniers mots.

La salle tout entière était silencieuse. On aurait dit que les cinq cents spectateurs avaient cessé de respirer.

Du bout des doigts, Fanny effleura les lèvres de Gabriel. Tant de mots, livrés d'un coup. Tant de mots, qui changeaient tout. Elle tremblait de tous ses membres et, déjà, les larmes dévalaient la pente de ses joues.

Sautant, d'un coup, trente ou quarante vers, elle avoua en même temps que Roxane :

— *Oui, je tremble, et je pleure, et je t'aime…*

Alors, même si ce n'était pas écrit dans la pièce, Gabriel se pencha doucement vers Fanny et l'embrassa.

Longtemps…
—Rideau ! ordonna finalement
Minnie en improvisant un entracte.

Le 15 juin 2000
Tant de soleil ! tant d'été ! tant
de bonheur !
J'en suis tout étourdie…

Chère Poutine,

Hier, j'étais en amour.
Aujourd'hui, je suis en amour.
Demain, je serai en amour.
Je n'avais presque rien d'autre à te
dire. N'est-ce pas merveilleux ? De là
mon silence.
Quand même…
Voici donc, ma belle amie – en vrac,
je m'en excuse – quelques nouvelles de
ta Fanny.

Gabriel dit que je suis sa muse. Je l'aide à voler. Il a déjà intégré une triple vrille à son programme. Et, cet été, il perfectionnera sa routine avec les professionnels de l'équipe Circus. Il n'a pas obtenu la bourse sports-études. L'entraîneur de soccer ne lui a pas pardonné sa défection. Quel con !

Gabriel avait peur que son père fasse une syncope. Mais Solange avait prévu le coup. Et, par miracle, elle a convaincu son époux de s'accorder une pleine semaine de vacances. Ils sont partis seuls tous les deux. Ça ne leur était pas arrivé depuis une éternité. Ils sont revenus bronzés, détendus et, il me semble, plutôt amoureux. J'en arrive à croire qu'ils feraient peut-être des beaux-parents endurables.

Benoît a mis des mois à trouver le courage nécessaire, mais ça y est. C'est fait ! Il a parlé à ses parents. Et devine ce qu'ils ont dit ? Ils s'en doutaient ! Depuis longtemps. Ils patientaient, eux aussi. Ils avaient peur de le brusquer, peur de l'influencer. Surtout, ils avaient hâte de lui dire qu'ils l'aimaient et qu'ils ne l'échangeraient pas pour tout l'or du monde.

Hier, c'était l'anniversaire de Luce. Elle a un nouvel amant, mais ils ne sont pas encore assez intimes – bizarre, quand même, pour un amant, non ? – pour qu'elle lui ait révélé la date de son anniversaire. C'est ce que m'a confié Luce, en tout cas. Je pense surtout qu'elle ne veut pas trop parler de son âge.

J'ai longtemps réfléchi à ce que je pourrais lui offrir. Et puis, j'ai eu une idée. La meilleure idée du monde, ma Poutine. Je lui ai offert... une poutine. Tu me trouves plate ? Alors, ajoute une majuscule. Une Poutine. Une Poutine numéro deux, disons.

Luce a fondu en la prenant dans ses bras. Elle était complètement gaga. Poutine est une toute petite chatte blanche comme neige, belle comme un cœur, avec en prime le regard dévastateur d'une séductrice-née. Savais-tu que tu vaux une fortune, ma belle ? Je n'aurais jamais pu trouver autant d'argent sans un peu d'aide. Beaucoup, même... Luce ne le sait pas encore. J'attends le bon moment pour lui avouer que le cadeau vient aussi de papa. Il n'a pas quitté sa Barbie, mais à sa façon – un peu dégueu, entre toi et moi, mais, bon ! – je crois bien qu'il nous aime encore toutes les deux, maman et moi.

Maryse est revenue à l'école il y a trois semaines. Elle travaille fort pour ne pas redoubler son année. Elle m'évite. Elle m'ignore. À première vue, je devrais croire que les menaces de Gabriel ont porté, mais je ne pense pas que ce soit seulement ça. Il paraît qu'elle a changé. Et j'ai un peu envie d'y croire. Est-ce la maladie ? L'isolement ? A-t-elle réfléchi ?

Je n'oublierai jamais les ravages que cette fille a faits dans ma vie. Quand j'y pense, je la déteste. Passionnément. Il me semble que cent ans ne seraient pas assez pour que j'arrive à oublier. À pardonner. Les souvenirs sont encore tellement vifs. La douleur toute proche. Mais en même temps, parfois j'arrive à m'accrocher à l'idée que cette année, cet hiver surtout, c'était juste une parenthèse. Atroce, mais quand même. Maryse a donné le pire d'elle-même. Le reste ressurgit peut-être enfin.

Tout le monde change, au fond. Parfois pour le pire. Parfois pour le mieux. À la fin, dans *Cyrano*, Roxane n'est plus la même et Cyrano non plus. C'est vrai aussi pour De Guiche. Et Christian. J'aime croire que la vraie Maryse, c'était celle du camp. L'autre était une erreur, un égarement. Un jour, peut-être, je lui enverrai la photo…

Je l'ai trouvée en faisant mon ménage annuel de tiroirs. En début d'été, maman panique toujours sur le rangement. C'est une photo de Maryse et moi. On l'avait prise dans un centre commercial, à la fin du camp. Maryse me tient par le cou ; moi, je l'embrasse sur la joue. Au dos, on avait écrit : *Maryse et Fanny. Amies pour la vie.*

En contemplant nos sourires, je me suis brusquement ennuyée de la Maryse d'avant. Pendant un bref instant, j'ai oublié l'enfer qu'elle m'a fait subir. Alors, j'ai ajouté ce mot derrière la photo : *Pourquoi ?*

Allez ! Tu trouves sans doute que je parle peu de mon amoureux. Avoue, petite curieuse. Vois-tu, ma Poutine, il y a des choses qu'on ne raconte pas... Même à sa meilleure amie !

Mais rassure-toi. Je ne pouvais pas trouver mieux. Moi, Fanny Dubois, je suis tout à fait, complètement et parfaitement ravie que ce soit lui, Gabriel Vallée, la voix dans ma nuit.

Ton amie pour toujours,
Fanny